STIEFMOEDER

NICOLETTE SMABERS

De Franse tuin (verhalen, 1983)
Portret van mijn engel (verhalen, 1987)
Chinezen van glas (novelle, 1991)

DE BEZIGE BIJ

Nicolette Smabers

Stiefmoeder

ROMAN

2003
DE BEZIGE BIJ
AMSTERDAM

Voor Theo

Copyright © 2003 Nicolette Smabers
Omslagillustratie Maria Austria
© Maria Austria Instituut, Amsterdam
Auteursfoto Roeland Fossen
Omslagontwerp Robert Nix
Zetwerk PerfectService, Schoonhoven
Druk Hooiberg, Epe
ISBN 90 234 1071 8
NUR 301

DEEL EEN

In Indië geen katholieken

'Hoe dan ook, namens mij, beschermt het woord me
beter dan de stilte.' FRANCIS PONGE

I

Het is de tijd van jassen keren, draadomroep en wederopbouw; auto's hoor je nog van verre komen en Indië
heet Indonesië maar niemand noemt het zo.

Toen Andrea Spanjert haar eerste heilige communie
deed, was de oorlog al een fabeldier, een met man en
macht gevelde draak, maar zijn giftige adem hing nog in
de lucht. Een zweem daarvan verbond zich met 'verlos
ons van het kwade amen' van het onzevader en met de
vaal geworden kleurenprent in de hal van de Maria-
school: de verdrijving van de eerste mensen uit het paradijs, de engel met het vlammend zwaard, en op de achtergrond in de boom der kennis van goed en kwaad de
slang met zijn gespleten tong.

Voordat ze Jezus in haar hart ontving was Andrea's
zieltje door en door gereinigd bij de eerste biecht. Het
schaars verlichte hoofd achter het houten raster had gesproken over goede werken en gebed als remedie tegen
dood en duivel, het snoot zijn neus en droeg drie weesgegroetjes penitentie op. Ze bad er zes. De eerste dagen
na de biecht had ze onophoudelijk de goede werken na-
gestreefd, maar het goede tierde net zo welig als het onkruid van de dagelijkse zonde, het vertakte en vertakte
zich zonder ooit tot rust te komen in de voldoening van

een afgeronde taak – net als het eeuwig poetsen, wassen, vloeren vegen van haar moeder.

'Kind, je loopt me voor de voeten, ga buiten spelen alsjeblieft.'

Dit had de weg geopend naar een simpeler methode om het kwade te verslaan: zes weesgegroetjes bij het slapen gaan, ze deed haar best de woorden langzaam en eerbiedig uit te spreken; gevoegd bij het gewone bidden voor en na de maaltijd, in een waanzinnig tempo afgeraffeld, moest dit voldoende zijn als dagelijkse portie tegengif.

Het is ook de tijd van tante Frida en haar baby'tje Suzan, ze zijn aan komen waaien van overzee. Behalve Suzan heeft tante Frida nog een stiefzoon en een man, maar die zijn in het verre Indië gebleven. Suzan is om te stelen, vindt Andrea's moeder, nee, om op te vreten met die zachte bollehapsnoetwangen, net warme broodjes, wat een verschil met die leeggelopen ballonnetjes van tante Frida. Tante Frida is helemaal 'van slag'. Haar man is 'gebroken' door de oorlog, haar stiefzoon 'compleet losgeslagen', daardoor is het gezin van tante Frida 'uit elkaar gevallen'. De taferelen die Andrea zich bij deze woorden voor ogen tovert, verbindt ze niet aan een familiedrama, het geheel heeft meer iets van het gooi-en smijtwerk in een leuk toneelstuk.

Omdat er in de voorkamer te weinig plaats is, staat de box in de huiskamer en bij mooi weer in de tuin. Tante Frida voert en verschoont haar kind met het gezicht van iemand die dit sinds mensenheugenis moet doen. Het verschonen gebeurt in de keuken, het voeren in de voorkamer. In de huiskamer, die ze soms 'de kamer van mijn gastvrouw' noemt, komt ze alleen als er gegeten wordt en om de baby in de box te leggen of eruit te pakken, dit laatste zwijgend, op haar tenen lopend, alsof ze haar eigen dochtertje beurtelings komt stelen en te vondeling leggen. De gastvrouw is direct ter plaatse als de baby huilt. 'Ach, jij kleine schreeuwlelijk, kom maar eens bij tante Martha.' Ze tilt haar uit de box om haar te knuffelen en sussend toe te spreken. Ze noemt haar: mijn verloren engeltje, mijn Suzanneke, mijn kleine stinkdiertje, mijn snoepje met je blote kakkies; ze weet niet dat dit voor Andrea buikpijnwoorden zijn.

Naast buikpijnwoorden zijn er antwoorden en vragen. Andrea gaat er nog vanuit dat er voor alle raadsels woorden zijn, ze jaagt op taal als jagers op groot wild.

De voorkamer is één en al tafel-, stoel- en bedoppervlak. Ze liggen hutjemutje bij elkaar, Hayo in het opklapbed, de baby rechts van de schoorsteenmantel, tante Frida links en Andrea op de divan bij het raam. Ze moet in slaap zijn voor het donker is, want als de boze Frederik onder de gordijnrok door naar binnen kijkt, kan hij haar zo zien liggen. De boze Frederik kan gedachten lezen voordat het woorden zijn. Omdat hij 's nachts opduikt en om de haverklap van schijngestalte wisselt kent ze alleen zijn fluisterstem. Wat zegt de boze Frederik allemaal?

Dat ramen vroeger water waren. En dat er in de woorden wezentjes verscholen zitten, ze blazen in de gaten van je oren en je neus en maken je gedachten in de war; minuscule wezentjes, kleiner dan zandkorrels, kleiner dan de spikkels in de krantenfoto's, kleiner dan de gaatjes in je huid. Daar zijn ze al, wemelend en gonzend, glibberige pootjes en orakeltaal: vive la peperbusse, vive la spa, tralalala. Ze springen trampoline op je buik en blazen raadsels in je oren. Wat gaat uit en blijft toch thuis? De kachel. Goed. Wat is het gemiddelde van een zeemeermin? Een staartdeling. Goed. Alle antwoorden zijn goed en de woordenwezens schieten vol en rond hun woordenjassen in.

's Morgens ligt ze te suizebollen in het felle licht, op het geeloranje fond van haar gesloten ogen zweeft het Niet-afgemaakte. Zigzaggers en Onderwaterdiertjes. Gele Gekstaarten en Letterslingers. Flikkerslierten. Wapperveertjes. Rebusdingen. Het geven van namen bezorgt haar een geluksgevoel, alsof ze het Niet-afgemaakte tot leven wekt met welgemikte klapjes.

'Wat is werkelijkheid?' vraagt Andrea aan haar vader. Hij zit de krant te lezen in de serre, ze ziet benen, vingers en een halfkale schedel; de zon schijnt op de ficus in de hoek en op zijn haren, witte bosjes links en rechts, berenoren.

'Werkelijkheid?' Geritsel. Haar vader maakt een hoofdbeweging zijwaarts, het krantenvlak verplaatst zich, het beweegt in zijn geheel in de richting van de tuindeuren. 'Dat is alles wat er is, de zee, de lucht, het land, mensen, dieren, planten, huizen, noem maar op.' Geritsel. Er staat een foto van een nijlpaard met haar kleintje in de krant. Andrea stapt in de rechthoek zonlicht rond haar vaders stoel en probeert de koppen: 'Man gooit zoontje van twee jaar uit raam.'

Wat eronder staat is kriebelwerk, de regels marcheren naar de witrand.

'En goedertieren, pap?'

Geritsel en geen antwoord. Maar het woord blijft zeuren, goedertieren, goedertieren en ze gaat ermee naar tante Frida, die in de voorkamer een truitje voor Suzanneke zit te breien met de gekruiste naalden dicht bij haar gezicht – net een muis die een stukje kaas zit op te peuzelen. Andrea's moeder ergert zich al dagen groen en geel aan het gepruts. 'Je moet de naalden op je armen leggen, Frida, niet in je oksels klemmen.' Soms zegt ze: 'Frida, zit je nu alweer te simmen? Je moet wat flinker zijn en naar de toekomst kijken.'

'Wat is werkelijkheid?' vraagt Andrea plompverloren bij het binnenkomen, ze is op dat moment vergeten dat ze het al weet. Rond tante Frida hangt een mengeling van geuren: Vicks, Hacks hoestbonbons en koffie. Ondanks het mooie weer, het is hoogzomer, is ze snipverkouden. Ze draagt haar blauwe knoopjesvest, in het kuiltje rond de gaatjes heeft de knoopjeskunstenaar een heel veldboeket weten te schikken, waterige korenbloempjes, klaprozen en boterbloemen. In de mouwen van het vest zitten bobbels van gebruikte zakdoeken. Ze snuit haar neus één keer en neemt een nieuwe.

'Wat zei je kind?'

'Wat is werkelijkheid?'

'De werkelijkheid? Maar kind...'

'Goedertieren, ik wou zeggen goedertieren. Wat betekent goedertieren tante Frida?'

'De werkelijkheid?' Tante Frida recht haar rug, ze legt het breiwerk op haar schoot en tuurt ingespannen uit het raam.

Man gooit zoontje van twee jaar uit raam.

Hups, weg ermee, naar buiten. Vrolijke keuken. Andrea ziet het zoontje met een boogje door het raam verdwijnen, rinkeldekinkel, recht in de muil van de werkelijkheid. Ze loopt de kamer uit, de gang door naar de keuken, waar niemand is, alleen de vliegen en de zon die op de vuile borden schijnt. Het ruikt er naar oud eten en het aanrecht is ontzettend smerig: eierschalen, uienschillen, een eilandje gestolde jus, kledderige sla.

Zo is het nooit. Haar moeder is met Hayo naar mevrouw Martinus. Meestal gaat het om huishoudelijke karweitjes, dan zit mevrouw Martinus met haar open been omhoog, maar ze lijdt ook aan suikerziekte en 'raakt er soms vanaf'. Als mevrouw Martinus iemand nodig heeft, zet ze het volume van haar radio gedurende tien dreunende seconden op maximale sterkte en dan vliegt haar buurvrouw met schort en al de deur uit om haar te hulp te schieten. Er is geen andere manier, de straat is nog niet aangesloten op het telefoonnet.

'En denk eraan, geen gekke dingen doen, lief zijn voor Suzanneke.' Dengg. Moeders afgesneden stem was een poosje in de stille kamer blijven hangen.

Lief zijn voor Suzanneke, het snoepje, het verloren engeltje, ze doet de deur naar buiten open. De lucht is van een ongelooflijk blauw, een vaste keiharde kleur, de box staat op het grasveld in de schaduwhelft en het engeltje ligt op haar rug te niksen.

'Jij bent om te stelen,' zegt Andrea. 'Stelen is een zonde, maar dat geeft niet want ik neem je mee naar G van Goed.' Ze laat zich op haar knieën zakken en steekt haar hand tussen de spijlen. 'Dat is het land van de verloren engeltjes, ze eten goedertierenkoek en goedertierenpap, ze drinken goedertierensap uit een goedertierennap. Ze mogen vloeken, schelden, stelen, liegen, schreeuwen, noem maar op, maar de duivel krijgt ze niet te pakken. En weet je hoe dat komt? Ja, pak mijn vinger maar. Ze maken goedertierenspullen, ze zeggen goedertieren-woorden, de hele dag, de hele dag. Niet in je mond, jij viezerik, stop je eigen vingers in je mond. Hierzo. Wat kijk je nou weer stomverbaasd, daar word ik wel eens tiereliere van, van dat stomverbaasde gekijk van jou. Wat ben jij dom Suzanneke, wat ben jij dommedom. Als ik zeg, jij bent een slang, een stekelvarken of een paard, ga je nog lachen ook. Jij bent een slang, een stekelvarken, nee, je bent een paard. Zie je wel? En waar zijn je voet-jes, die blote kakkies van je?'

Ze pakt een babyvoetje beet en trekt Suzan zo ver naar zich toe dat ze de zachte teentjes in haar mond kan stoppen; ze leunt met haar voorhoofd op de spijlen en sabbelt, haar tongpunt wentelt rond het tere vlees, net doppertjes, ze bijt. Gekrijs. Haastig klimt ze in de box. 'Stil maar lief stekelvarkentje, stil maar, stil maar, stil maar, stil maar.' Het gekrijs neemt in hevigheid toe, maar wordt even overstemd door het brekende geluid waarmee de tuindeuren opengaan. Haar vader komt nu aangelopen met zijn leesbril op zijn voorhoofd.

'Ze stond weer pap, ze gaat steeds vaker staan, maar toen ik in de box kwam viel ze om.'

Stemmen en gestommel in de huiskamer. Hayo komt de tuin in met zijn ellebogen wijd, hij draagt iets wits; hij wordt op de voet gevolgd door moeder, die zonder om zich heen te kijken naar de box toe snelt om de schreeuwende Suzan van Andrea's schoot te pakken.

'Paul, wat sta je hier, en waar is Frida?'

'Op de wc geloof ik.'

Andrea klautert uit de box en staart naar haar broer. Hayo draagt haar kip, Sneeuwwitje, de laatste van het stel dat jarenlang heeft rondgescharreld in hun tuin. Kort na de aankomst van tante Frida en Suzan had ze zich Sneeuwwitje toegeëigend. Ze had haar alles willen leren wat een kip moet weten om haar kippenkind te zijn, maar het kippenmoederschap bood niet veel mogelijkheden. Ja, voeren.

Ze had Sneeuwwitje vetgemest en een week of drie voor haar communie, toen de tuin – die voor die tijd één grote zandbak was geweest – als tuin werd ingericht, had ze moeten kiezen: Sneeuwwitje in de pan of Sneeuwwitje naar mevrouw Martinus.

'Sneeuwwitje is niet meer, ze is dood, die ouwe taaie.' Andrea's moeder tilt Suzan hoog op en laat haar vliegen. 'Wat moeten wij nou met een dooie kip, dat beest is nutteloos, ja, ja, ja, jij kleine schreeuwlelijk, volkomen nutteloos, wat moeten wij nou met een dooie kip? Ze mag niet in de pan voor soep, o nee, geen denken aan, dat mag niet van Andrea. Zeg jij het eens, wat moeten we ermee?'

Tante Frida schuifelt naar buiten met haar hand boven haar ogen. 'Martha, geef haar maar.' Ze neemt de baby over.

'Hayo geef haar maar,' papegaait Andrea. Ze neemt Sneeuwwitje over. Ineens hangt er een schil van aandacht om haar heen. Dit is haar ogenblik, dit is haar eigen dode kip, een heel bezit, volkomen nutteloos, maar nooit tevoren is Sneeuwwitje zo dichtbij geweest, zo herkenbaar en zo afgerond. Ze voelt zich raar, een beetje misselijk, toch wil ze heel lang kijken naar de ronde, nutteloze oogluikjes, de fijne randjes daaromheen, naar de nutteloze gaatjes in de snavel, de rode wasachtige lellen, het witte verendek, volkomen nutteloos. Ze is er zeker van uit de nabijheid van dat alles, uit die extreme zichtbaarheid, iets te kunnen halen dat het raadsel kan verklaren, het niet meer kip zijn van Sneeuwwitje.

De stoep begint te kantelen. 'Wat moeten we met jou?' vraagt ze aan het kippenkopje met de dichte ogen en de snavel en de rode lellen en dan laat ze Sneeuwwitje doodeenvoudig los, haar laatste vlucht, zacht ruisend, plof, op de hete stenen van het stoepje. Daaroverheen het nauwelijks verteerde zondagmiddagmaal, de appel na en bloemkoolsoep, witte bonen in tomatensaus, sla met slijmerige brokjes ei.

Het bidden van die avond is haar adem iets te doen geven, het is kijken naar het gele schijnsel van de ruitjes in de gesloten schuifdeuren totdat het grote licht uitgaat. Daarna is er altijd nog het leeslampje van tante Frida dat haar kamerscherm van binnenuit verlicht. En de wirwar van stoelpoten op de opzijgeschoven eettafel, de klerenbundels over de rugleuningen, de schoenen en pantoffels op de zittingen. Dat alles is er, het kan kapot maar gaat niet dood, het heeft geen ziel, geen hart, geen hersens en het hoeft niets te eten. 'Nu en in het uur van onze dood amen.'

O, jawel, ze had de dood eerder gezien, tenminste, gezien dat hij langs was geweest, bij meeuwen, bij muisjes, bij een half gegeten konijntje in de duinen. Zelfs bij een veel groter beest, half op de kant, half in het water van het kanaal bij de gasfabriek, een dooie hond die daar als een vuile jas lag neergesmeten. De toegetakelde en levenloze dierenlijven hadden haar wel van haar stuk gebracht, maar niet geschokt. Dit was niet de dood, maar wat hij achterliet, slachtoffers van een gevecht met hem. Tot dan toe was ze er min of meer van uitgegaan dat de dood een eigen lichaam had, dat hij ruimte innam voor zichzelf, hij was een vijand die van buitenaf kwam en tot de aanval overging. Maar Sneeuwwitje was haar eigen witte kip geweest, en de dood, dat was zij zelf. 'Heilige Maria, moeder van God, bid voor ons, zondaars.'

'Hou eens op, straks krijg je een verschijning.' Hayo, het geprevel meer dan zat, kruipt bij haar in bed. 'Wil je dat?' spettert hij in haar oor, 'zo heilig worden dat je een verschijning krijgt, net als de drie van Fatima? Of wil je roeping? Wil jij dat, Andrea Weesgegroetmaria, wil jij in een klooster wonen, een zwarte kap op je hoofd, schurft op je kop, niet trouwen en geen baby's krijgen, nooit meer in je leven zwemmen in de zee?' Hij beweegt zo heftig met zijn knieën heen en weer dat hij haar bijna het bed uit gooit.

Ze tilt het laken op, hij ligt wijdbeens, zijn gulp staat open, ze zegt: 'Ik zie je piediewiedie.'

Hayo is kwaad en verdwijnt zonder iets te zeggen naar zijn eigen bed.

Tante Frida doet haar lampje uit en begint zachtjes te huilen.

'Niet simmen, tante Frida.'

Tante Frida houdt onmiddellijk op.

Aan het einde van die zomer emigreerden tante Frida en
Suzan naar een familielid in Sydney. Weg buikpijn.

Een paar jaar later kwam dat liedje op de radio:

Op een kangoeroe-eiland
Waar men kangoeroes vindt
Zat een kangoeroemoeder
Met haar kangoeroekind...

Andrea's moeder zong het wel eens met een hoge stem,
om daarna te verzuchten: 'Ach, die arme sukkel van een
tante Frida, breien kon ze ook al niet.'

2

Het voorval met Sneeuwwitje was toegevoegd aan de canon van familieverhalen. Hoe Andrea Weesgegroetmaria haar kippenkind het heilig kruis had nagegeven met kots. Mevrouw Spanjert memoreerde het steevast in combinatie met herinneringen aan tante Frida en Suzan. Meneer Spanjert bracht het, als voorbeeld van een hopeloos geval van godsdienstwaanzin, bij voorkeur in verband met ene tante-zuster Theodora, die op jonge leeftijd blijk gegeven had van overgrote godsvrucht door bij onweer al wat los- en vastzat in het huis te willen zegenen, ook de honden. Eenmaal bruid van God geworden was ze als missiezuster uitgezonden naar Botswana, waar ze nog geen jaar na aankomst overleed aan malaria. Door de manier waarop meneer Spanjert over tante-zuster Theodora sprak, eerder lacherig dan mededogend, drong het niet tot zijn kinderen door dat zij een echte tante was geweest, een zus van hun moeder.

In dezelfde trant sprak hij over 'het wonder van Lourdes', en 'het achterlijke katholieke zuiden'. En over 'die fokstier', waarmee haar opa werd bedoeld, opa De Heer, die destijds, om een rijke kinderzegen af te smeken, met zijn vrouw op bedevaart naar Lourdes was gegaan; waarna de moeder Gods binnen het tijdsbestek van zestien jaar voor veertien kinderen had gezorgd. Mevrouw Spanjert, Martha Wilhelmina Gerarda Maria, was nummer zes.

Dat ze nooit op bezoek kwamen, al die ooms en tantes uit het katholieke Brabant, riep geen vragen op bij Hayo en Andrea. Ze beseften niet dat de familie van hun moeder bestond uit mensen van vlees en bloed, dat die in huizen leefden en in gewone bedden sliepen, dat ze kinderen hadden, nichten en neven die naar school gingen en leerden rekenen en lezen, net als zijzelf.

Het waren hooguit schimmige verhaalfiguren die zich ophielden in de grote linnenkast van de ouderlijke slaapkamer. Op de tweede plank van boven, bijna één geworden met in onbruik geraakte tafelkleden, bruine en groene batikdoeken, sjaaltjes, pannenlappen en zakdoeken leefden daar de Bata's en de Pots, weliswaar gescheiden van elkaar in twee witte schoenendozen maar op een of andere manier toch onderling verstrengeld. In die met het Bata-etiket lagen een paar grote bruine enveloppen, dichtgeplakt. Op de andere doos stond 'phot', geschreven met een vulpenhand in ongemakkelijke stand. In deze doos lagen tientallen foto's, los. 'Kom we gaan de Bata's en de Pots bekijken.' Het ging uitsluitend om de Pots, ze gebruikten ze als lachstof. 'Moet je die zien, en dit hier.'

Eén lid van de familie was ontkomen aan het linnenkastbestaan: oom Thieu die, eerder nog dan zijn jongere zus, het donkere zuiden had verlaten en zich in Den Haag als aannemer had gevestigd. Meneer Spanjert noemde hem 'die charlatan, die patjepeeër', want in de oorlogsjaren had hij 'zonder in gewetensnood te komen' meegeholpen aan de afbraak van de huizen in de vesting en nu verdiende hij, opnieuw zonder in gewetensnood te komen, goed geld aan de wederopbouw.

Het conflict hierover voerde terug naar de tijd dat de vestingbouw in volle gang was. De versperringen, een tankgracht, tankmuren, drakentanden en dergelijke, liepen dwars door de bebouwing heen en aan de kant van de zee werden bunkers gebouwd. Degenen die in de vesting woonden, waaronder de Spanjerts, dienden te vertrekken. Andrea stond op het punt ter wereld te komen. Meneer Spanjert wilde dat de bevalling thuis plaatsvond, en had het ontruimingsbevel naast zich neergelegd.

Andrea liet op zich wachten. Op het laatst woonden er nog vier gezinnen in de straat en toen had Thieu zich ermee bemoeid. Hij had gezegd: 'Paul, je mag het risico niet nemen dat Martha op een handkar moet bevallen.' Toen was de ruzie al begonnen en ze was tot volle uitbarsting gekomen op de ochtend dat de buren, de Van Dams, met al hun spullen op straat waren gezet. Diezelfde dag had meneer Spanjert zich tot zijn zwager gewend met het nederige verzoek om inwoning. Waarop Thieu die gedenkwaardige en inmiddels tot slagzin gepolijste weigering had uitgesproken: 'Nee, Paul, ik heb liever geen familie op mijn lip.' Ze hadden inwoning bij kennissen van de Van Dams moeten accepteren, uitgerekend in Bezuidenhout, de wijk die in het laatste oorlogsjaar door de Engelsen werd gebombardeerd.

Oom Thieu was getrouwd met tante Gemma; ze hadden een zoon van Hayo's leeftijd, Victor. Hayo en Andrea hadden hun oom en tante en hun neef zegge en schrijve één keer ontmoet; in de kerstvakantie voorafgaand aan die zomer met tante Frida en Suzan. Die ontmoeting, voor het eerst na de oorlog, was door hun moeder in de annalen bijgeschreven als 'Het fiasco van die tweede kerstdag', want deze verzoeningspoging was geëindigd met een nieuwe ruzie over hetzelfde onderwerp. Daarna waren er geen nieuwe pogingen meer ondernomen, maar het oude zeer speelde bij vlagen op.

'Ja, die oorlog weet wat', zei mevrouw Spanjert wanneer de radio of de krant daar aandacht aan besteedde. Als ze met haar kinderen alleen was, schakelde ze soms over op: 'Jullie vader was een echte moffenvreter'. Dan zat die vertelzoem in haar stem, Hayo noemde het de oorlogszoem. Het verhaal werd altijd op dezelfde manier verteld.

Eerst kwam de hunkerende beschrijving van die bijna paradijsclijke periode voor de evacuatie. Het contact met het echtpaar Van Dam, de bridge-avondjes samen; de tuin met zijn meidoorn en zijn oude pruimenboom, de overvloed aan sneeuwklokjes en druifjes in het voorjaar. Dan, koud op de maag, de ontruimingsbevelen, het eerste, het tweede, het 'liever geen familie op mijn lip'. De geboorte van Andrea in die veel te krappe woning in Bezuidenhout. De Engelse bommen om negen uur 's morgens. 'Let wel, van een bevriende natie, maar bommen hebben geen gevoel.' Hayo die met veertig graden koorts in bed lag. 'We moesten het puin uit zijn bedje scheppen en daaronder lag hij, de geluksvogel, met hoogrode wangen te slapen.' Bij het gedeelte over de Engelse bommen kwam Hayo weleens tussenbeide met vragen over krijgskundige details, waar ze nooit op reageerde want de trein van haar verhaal moest voort naar Honger, Kou, Bevrijding. Daarna de terugkeer in hun onttakelde woning. Geen leidingen, geen licht, geen water en geen vuur, op de straat geen plaveisel, in de achtertuin geen meidoorn en geen oude pruimenboom, voor en achter hoog opgeschoten onkruid. Zand, zand en nog eens zand, daar eindigde het mee.

Voor mevrouw Spanjert was de tweede wereldoorlog het mer à boire waaruit zij haar verhalen over vroeger putte, de alfa en omega van de geschiedenis; alsof Brabant niet bestond, alsof ze nooit ouders had gehad en heel haar leven mevrouw Spanjert had geheten. En hoewel ze altijd protesteerde wanneer haar man te ver ging met het gescheld op Thieu (NSB'er mocht niet) leek de neerbuigende manier waarop hij over haar familie in 'het achterlijke katholieke zuiden' sprak, haar niet te kwetsen. Integendeel, ze lachte erom. Ze stelde het op één lijn met zijn gefoeter op de pastoor van hun parochiekerk, die hij een sijsjeslijmer, een neuzelaar en een zwetskont noemde. 'Jullie vader is in Indië geboren,' gaf ze als verklaring, 'hij is pas katholiek geworden toen wij trouwden.'

Conclusie van Andrea: in Indië geen katholieken.

Daar dit alles nu eenmaal zo was (in zekere zin was het zo gewoon als de wolken in de lucht) zou het vele jaren duren voordat Andrea zichzelf vragen begon te stellen over haar achtergrond. Ze was toen al getrouwd en wijdde zich vol overgave aan de documentatie in woord en beeld van haar dochters eerste maanden. Om zich in de wereld thuis te voelen had haar kind een stevige verankering in de familie nodig.

'Over de familie van jouw grootouders van moeders kant weet ik zo goed als niets,' schreef ze op een middag in Heleentjes babyboek. 'Hayo en ik hebben geen geschiedenis, wij hebben ouders. Onze wortels klitten samen binnen de begrenzing van ons vierpersoonsgezin, we dragen er de vorm van – denk aan kamerplanten uit hun pot gehaald, de wortelkluit staat naar de pot.' Deze bespiegeling, waarmee ze zichzelf volkomen verraste, had haar op het spoor van haar eigen niet-geschiedenis gebracht. Tot dan toe was ze nooit verder gekomen dan een halfslachtige bevreemding hierover, de gedachten die ze eraan besteed had stuitten op een muur van ongerijmdheden en tegenstrijdigheden, zoals bij een dagdroom die steeds weer op hetzelfde punt stagneert omdat zich pal daarachter een obstakel bevindt, een onoplosbaar probleem.

Niet de afgesneden Brabantse, maar juist de Indische familietak riep de meeste vragen op. Bijvoorbeeld over tante Frida. Ze was de tweede vrouw geweest van ene Billy uit Soerabaya, een neef van haar vader. Niemand kende haar voordat ze kwam en na haar emigratie was er ook nooit meer iets van haar vernomen. Waarom hadden tante Frida en Suzan een halfjaar lang in hun huis gewoond?

Nu Andrea had besloten zich in dit soort vragen te verdiepen ontmoette ze een taai soort tegenstand in zichzelf – alsof ze een verboden tuin betrad. Inderdaad reageerde haar vader zeer verstoord toen ze erover begon, hij liep rood aan en werd kortademig. Waarom?

Waarom? Omdat Billy dat gevraagd had voor zijn dochtertje en zijn gewezen vrouw, klaar uit! Als een familielid hem een gunst vroeg, kwam hij die persoon tegemoet zonder naar de reden van zijn verzoek te informeren en ongeacht of hij diens vrouw kende! Zo en niet anders gingen beschaafde mensen met hun familie om! Andrea stapte haastig over op tante Thecla en tante Hermien. Dat ze graag eens bij die twee op bezoek wilde, al was het maar om te zien hoe hun huis eruit zag. Een onschuldiger onderwerp leek ondenkbaar, maar haar vader slaakte een wanhopige zucht en liep hoofdschuddend de kamer uit.

Thecla en Hermien, twee vrolijke en warmhartige vrouwen. Dat deze twee erin slaagden te zijn zoals ze waren en desondanks met hun gezin te maken hadden, was sinds haar kindertijd een raadsel voor Andrea.

De tantes woonden aan de rand van Bilthoven in een huis met dichtbemoste voordeurleeuwen (Hayo was daar ooit geweest, Andrea niet). Ze maakten regelmatig uitstapjes naar Den Haag. 'Daar ligt ons hart,' zei tante Hermien. Hun verschijnen, niet jaarlijks, soms op koninginnedag, soms op bevrijdingsdag, kwam te zelden voor om erop te rekenen. Het bezoek werd nooit aangekondigd, en het ongewisse uur, nu eens in de namiddag, een andere keer pas tegen negenen 's avonds, verstoorde het patroon van klokslag dit en klokslag dat, tot ergernis van haar moeder, die zich gedwarsboomd zag in haar streven het huishouden op rolletjes te laten lopen.

Thecla en Hermien, de suikertantes. Ze brachten versgebakken stroopwafels mee, en pelpinda's, chocoladerepen met hele hazelnoten, wijn in een kistje, een flesje parfum of een porseleinen theepot, lappen stof, sigaren, zijden sjaals. Hun goedgeefsheid deed haar moeder, gewend aan een leven van zomen uitleggen en bonnen sparen, stotteren van verlegenheid. Dit verklaart misschien het boer-met-kiespijnlachje waarmee ze voor die cadeaus bedankte. En de enigszins gelaten toon waarop ze 'nou vooruit, het is tenslotte feest' zei, als reactie op het voorstel de boel de boel te laten en een rantang met rijsttafel van het Verre Oosten te laten komen. Of, als het al later was, met zijn allen naar de boulevard te wandelen voor koffie met cognac en ijs met parapluutjes.

Deze tantes waren rijk, ongetwijfeld, maar de manier waarop had iets ongerijmds. Die strookte weliswaar met hun korte bruine bontjasjes op de kapstok in de gang (waar Hayo en Andrea allebei verliefd op waren en die ze, terwijl hun binnenkanten thee of sherry dronken, kopjes gaven, streelden en omarmden) maar verklaarde niet hun laat-maar-waaienkapsels en dikzolige wandelschoenen; en zeker niet de hobbezakkerige tricot rokken en lange, bontgekleurde vesten – gemakkelijke kleding zogezegd, waarin hun brede puddingbillen en afgezakte boezems vrijelijk bewogen. Het type vrouwelijkheid dat deze tantes lieten zien leek openlijk de draak te steken met het harde pantser dat het lichaam van hun moeder in bedwang hield. En wat te denken van de uitbundigheid waarmee ze, nog met die jassen aan, de begroetingsceremonie uitvoerden, met wijd gespreide armen en knellende omhelzingen, alsof ze zojuist waren teruggekeerd van overzee en eindelijk, goddank, waren teruggeworpen in de warme schoot van hun familie? Familie?

Hermien was geen lid van de familie, hield moeder hun met enige nadruk voor, ze was alleen de vriendin van Thecla. En Thecla was de echtgenote van oom Richard, de oudere en enige broer van meneer Spanjert, namens wie ze al hun goede gaven kwamen brengen – zoals ze nooit verzuimden te benadrukken – en wiens chronische afwezigheid in het gezelschap werd toegelicht met een apodictisch: 'Rik is nou eenmaal geen visitemens.'

Van de gesprekken die de tantes met haar ouders voerden herinnert Andrea zich vooral het stemgeluid van tante Thecla: luid, alsof ze voor een zaal sprak. Van de inhoud staan haar uitgesproken feestelijke onderwerpen bij: het al dan niet bezoeken van het bloemencorso in Aalsmeer, de drukte rondom Houtrust wanneer SHS een thuiswedstrijd speelde, het uitvaren en binnenlopen van de haringvloot, de komst, in de zomervakantie, van het Circus Strassburger. Maar wat haar het meest verbaasde, was de houding van hoffelijke heer die haar vader tegenover Thecla en Hermien tentoonspreidde. Hij hielp hen met veel egards uit die bontjasjes en verzocht zijn vrouw ze netjes op te hangen, niet op de houten hangertjes met die scherpe punten, nee, op die met de gebreide overtrekken.

Thecla en Hermien waren in Indië geboren. In Indië geen katholieken.

En dan was er nog Francien.

3

De vuurdoorns in de voortuinen zijn knaloranje en op de bouwkranen aan de overkant van de Sportlaan ziet het zwart van de spreeuwen. Het ene moment zitten ze spreeuw naast spreeuw naast spreeuw, alsof die kraan met iets kleverigs is ingesmeerd, het volgende moment vliegen ze allemaal tegelijk op met veel geschreeuw.

'Waarom vliegen ze steeds op?'

'Om warm te blijven,' zegt Hayo.

'Waarom allemaal tegelijk?'

'Om op te vallen.'

'Waarom schreeuwen ze?'

'Ook om op te vallen, zo lokken ze andere spreeuwen, totdat ze met ongeveer tweeduizend zijn en dan begint de grote trek naar Afrika.'

Hayo is op school geen uitblinker, om later naar de hbs te kunnen moet hij door zijn vader worden bijgewerkt, maar als Andrea aan hem vraagt wat Helvetia betekent, zegt hij Zwitserland, en als ze weten wil wie Ike is, zegt hij Eisenhower. Hij kan de kaart van Europa uit zijn hoofd op papier zetten, inclusief de hoofdsteden, de grote rivieren, de belangrijkste gebergten en het ingewikkelde van de fjorden in Noorwegen. Hij weet wat een weduwnaar is, en tbc en op welke hoogte de boomgrens ligt. Maar wat het verschil is tussen een stiefmoeder en een pleegmoeder kan hij haar niet zeggen.

Twee weken terug was het hun verteld: ze hadden een halfzus, Francien. Hún moeder was háár stiefmoeder; haar echte moeder, Ilse was gestorven in Davos aan tbc. Daarna was Francien in Zwitserland gebleven, maar ze kon heel goed Nederlands want ze was daar opgevoed door een Nederlandse pleegmoeder. 'Nina', zei vader, 'mejuffrouw Ooms', zei moeder.

Voor Francien werd de rommelkamer onder het platte dak leeggeruimd en grondig opgeknapt. 'Zonde dat we die kamer nu pas krijgen,' zei Hayo, 'anders hadden tante Frida en Suzan daar al kunnen slapen.' Dat zag hij helemaal verkeerd, zo'n kamer opknappen was een hele onderneming, zoiets deed je alleen voor iemand uit je eigen gezin.

'Waarom wisten we het niet,' wilde Hayo weten, 'dat Francien al die tijd bestond?'

'Veeg je toet af jongen, je hebt een karnemelksnor.'

In de weken voorafgaand aan de entree van Francien veranderde de sfeer in huis volkomen. Hun moeder, die bijna alles wat haar bewoog op een of andere manier wist om te zetten in arbeid, ging helemaal op in het witten, verven en behangen. Ze was alleen beneden voor het koken en de andere hoogst noodzakelijke huishoudelijke karweien. Lag in haar geval de verandering in de lijn van wat je kon verwachten, bij hun vader was sprake van een regelrechte metamorfose. Doorgaans was er moed voor nodig om het magnetisch veld dat om hem heen hing te doorbreken, als ze dat al deden kwamen ze met kennisvragen.

Zo was het die avond ook begonnen, met kennisvragen. Nadat hun moeder naar boven was gegaan, had Hayo de Bosatlas te voorschijn gehaald en het onderwerp reizen door de bergen aangezwengeld. Dit keer was vader niet gekomen met een aantal korte wedervragen – altijd het droge minimum, om zijn zoon te dwingen tot de kern te komen – maar met verhalen. Over tunnels, de Sint-Gotthard en de Simplon en de Lötschberg-tunnel. Over het verschil tussen reizen voor de oorlog en erna; ervoor met lampjes en kleedjes op de tafeltjes en een restauratiewagen met damast en tafelzilver; erna met overvolle wagons zonder bediening.

'Reizen is een kunst,' zei vader, 'je moet je aanpassen.' Hij nam als voorbeeld een kennis van Nina, die kort na de bevrijding met een bommenwerper van Bern naar Amsterdam was gevlogen om iemand te begraven. Hayo wilde weten wat voor type en of het luikje voor de bommen er nog in zat, maar vader was terug in de tijd gestapt en over luchtschepen begonnen om, plotseling, te eindigen met tijdfietsen. Tijdfietsen? Haha, daarmee werden kinderen die te moe waren om zelf te gaan naar hun bed gereden. Ze lachten enigszins kunstmatig met hem mee en lagen in een mum van tijd in bed.

De dag erna ging het over gletsjers, lawines, bergtoppen, de boomgrens, de sneeuwgrens. Vervolgens weidde hun vader langdurig uit over de wereldomspannende vaarroutes tussen Europa en Indië: vanuit Amsterdam met de stoomboten van de Nederland, zoals de Juliana en de Marnix van Sint Aldegonde; vanuit Rotterdam met die van de Lloyd, zoals de Slamat en de Sibajak, namen die hij proevend uitsprak met een zilverige klank in zijn stem. Het ene verhaal riep het andere op, maar het waren en het bleven: vader-en-zoonsessies.

Andrea: 'Wat is erger, een stiefmoeder of een pleegmoeder?'

'Waarom wil je dat weten?' Zonder het antwoord af te wachten was haar vader opgestaan en naar de slaapkamer gelopen.

Hij kwam terug met de Bata-doos en nam er twee dichtgeplakte bruine enveloppen uit. Hij opende ze met het heft van een theelepeltje, slordig en haastig, alsof het nieuw aangekomen brieven waren.

Foto's! Ook in de Bata-doos! Hij strooide ze uit op de deksel. Voor het eerst zagen ze hun vader in Indië – Indië! waar hij nooit over sprak, nooit, zelfs niet die doodenkele keer dat hun moeder er in zijn bijzijn iets over zei. Ze zagen hem als kleine jongen, Pam, bijna onvindbaar in de luchtwortelwirwar van een waringin. Ze zagen hem als Paul, een jongeman in een geruite sarong en met een java-aapje op zijn schouder. En ze zagen hem als vader. Hij had zijn haren nog en droeg een wit pak, hij stond op de veranda van een huis op palen met een baby in zijn armen.

'Ons prinsesje,' zei hij met een vertederde klank in zijn stem, 'Fransje.' Hij rommelde met zijn nicotinevingers tussen de kiekjes. Moeder-en-kindfoto's waren er niet, wel een aantal van Fransje in de armen van een baboe. En heel veel van hemzelf en Ilse als echtpaar. Ilse droeg allerlei soorten hoofddeksels en was een half hoofd groter dan Paul. Samarinda, Palembang, Pontianak, het gezin scheen nergens lang te kunnen blijven. Tandjong Priok, Genua, Marseille, als je vanuit Indië naar Europa reisde of vice versa, met de boot en met de boottrein. Zelfs in Noord-Afrika doken hun gestalten op, naast een ezeltje en een man met doeken rond zijn hoofd. De gele wijsvinger schoot kriskras over de grote wereldkaart van het zware bruine boek dat Hayo als het weggleed steeds weer op zijn vaders knieën schoof.

'Afrika,' zuchtte Hayo, 'Afrika, Afrika.'

'Tja,' zei vader, 'Afrika.' Hij stak een verse sigaret op en droeg Andrea op de Bata-doos terug te zetten op de derde plank van boven in de linnenkast.

Bij het terugzetten, waarvoor ze hoog moest reiken, stootte ze met de deksel tegen de rand van de plank. Een aantal foto's vloog uit de geopende enveloppen over haar heen en belandde op de vloer. Haar moeder kwam binnen, ze zei niets, ze knielde neer en begon te helpen met oprapen. Ze rook naar terpentine.

'Het moest van Paul,' antwoordde Andrea ongevraagd, 'we moesten van Paul naar die Ilse kijken.'

'Van Paul naar die Ilse kijken,' zei haar moeder op een constaterende toon. Ze zweeg even; ineens kwam ze met haar gezicht heel dicht bij dat van Andrea.

'Weet je hoe ík heet?'

'Martha?'

'Martha ja,' beaamde moeder, er vloog een glimlachje over haar gezicht. 'Vind je dat een mooie naam?' Om haar watergolf te beschermen droeg ze een grote witte sjaal waarvan ze de uiteinden in haar nek had vastgeknoopt. Andrea vond dat ze er heel leuk uitzag met

31

die sjaal en dat ragfijne net van piepkleine verfspatjes op haar gezicht, en toch wilde ze haar moeder pijn doen.

'Ik vind Ilse lief.'

Het was niet eens waar, ze vond Ilse ijzingwekkend, het was Paul die ze lief vond, hij hield Ilse bij de hand, legde zijn arm voorzichtig op haar schouders, rond haar taille, glimlachte breeduit naar de camera, trots op Ilse, trots op zijn vrouw.

Andrea moest de foto's aanwijzen die ze in de huiskamer bekeken hadden en haar moeder bestudeerde die langdurig. 'Ilse is dood,' zei ze ten slotte, 'dat wist je toch hè?' Ze stond op, wreef een poosje over haar knieën en zette de doos terug.

'En de pleegmoeder?'

'Ook.'

'Is Fransje een verloren engeltje?'

'Natuurlijk niet, gek kind, je moet niet van die gekke dingen vragen.'

'Wat is erger, een stiefmoeder of een pleegmoeder?'

'Geen van beide. Stiefmoeder van Francien ben ik al vanaf de dag dat ik met vader trouwde, jij en Hayo waren toen nog niet geboren.'

'Mag ik onze plukken haar zien?'

De babyhaartjes van Hayo en Andrea zaten, verenigd, in een hartvormig medaillon en dat medaillon weer, met de zilveren rozenkrans en andere onbruikbare kleinoden en sieraden, in een notenhouten kistje op de bovenste plank van de linnenkast. De eerste keer dat Andrea dit relikwie had mogen zien was op de avond van haar communiefeest. Tot haar verbazing en verdriet had ze haar erfstuk, de zilveren rozenkrans die ze nog geen halve dag geleden cadeau had gekregen, terug moeten brengen naar de plek waar hij vandaan gekomen was. Om daar bewaard te worden, geen andere reden. Zo had ze geleerd waar erfstukken voor dienen, je moest ze in de hand nemen en bekijken en erover praten op bijzondere momenten. Dat moest je ermee doen, meer niet.

Deze tweede keer wilde ze graag weten of het medaillon ook babyhaartjes van Francien bevatte. Dit was niet het geval.

Toen zij en Hayo de volgende dag uit school kwamen was Francien nog niet ter plaatse maar wel in aantocht en daarom moesten ze direct door naar mevrouw Van Dam. De reden: 'Doe wat ik zeg, jullie zullen heus niets tekortkomen bij mevrouw Van Dam.'

De vooroorlogse vriendschap, in stand gehouden door de beide vrouwen, bloeide voort op de uitwisseling van recepten, knippatronen en damesbladen. De Van Dams waren na de oorlog in de Geuzenbuurt gaan wonen. Hun voordeur rees hoog op boven de stoep aan het einde van een steile trap. Mevrouw Van Dam had een wijnvlek op haar linkerwang, die bij Hayo elke keer als ze daar kwamen een andere associatie wekte, dit keer met een helikopter.

Er hing een warme, zoete geur in huis, mevrouw Van Dam had speciaal voor de gelegenheid kletskoppen en eierkoekjes gebakken. Ze legde uit dat Francien en hun ouders een paar uur met elkaar alleen moesten zijn, om te wennen. O, wennen, was dat het? 'Ja,' zei mevrouw Van Dam, 'er valt heel wat te overbruggen.' Ze schonk tot twee keer toe frambozenlimonade in en maakte macaroni met tomaten, kaas en ham voor hen klaar. Toen het donker was geworden, bracht ze hen naar huis, wat Hayo erg overdreven vond, want het was hooguit vijf minuten lopen. 'Hier zijn ze,' zei mevrouw Van Dam met iets gejaagds in haar stem toen de voordeur openging. Ze liep al weg, zonder praatje, groet of wat dan ook. Blijkbaar wilde ze geen seconde tussenbeide komen in het proces van wennen en overbruggen.

'Aha, daar zijn jullie,' beaamde hun moeder terwijl ze zich vanaf de drempel vooroverboog en begon te zwaaien naar mevrouw Van Dam. 'Bedankt!' Ze keken gedrieën naar het resultaat van haar geroep. Mevrouw Van Dam draaide zich om en liep een stukje wuivend achteruit.

'Daar zijn ze!' riep hun vader bijna juichend toen ze de huiskamer betraden. Het zag er blauw van de rook.

Francien had een mooi gelijkmatig gezicht met heel lichte ogen en een gave matbruine huid. Ze moest zich zowat dubbelklappen om hen te zoenen, zo lang was ze. Lang en onhandig. Als ze opstond om naar de wc te gaan – wat in die paar uur dat ze met zijn vijven een gezin vormden minstens vier keer gebeurde – liep ze met grote stappen en in een vaste tred, het kostte haar moeite nergens tegenaan te botsen.

Tegen achten vertrokken mevrouw Spanjert en Francien naar boven. Ze bleven vrij lang weg.

Van wat zich daarboven op die nieuwe kamer kon hebben afgespeeld, zou Andrea zich maandenlang een voorstelling trachten te maken. De twee vrouwen zagen er terneergeslagen uit toen ze beneden kwamen. Hoe was dat mogelijk? Aan de nieuwe kamer kon het niet liggen. Er lag vaste vloerbedekking. De vergeelde gordijnen die daar alleen maar hadden gehangen om inkijk te voorkomen, waren vervangen door kraakheldere vitrages en gloednieuwe overgordijnen. Er stond een rotan plantenstandaard naast de tafel en er hing een ingelijst portret van Ilse aan de muur met het gezicht op ware grootte. Op het bed prijkte de witte, gehaakte sprei waar Andrea haar moeder maandenlang aan bezig had gezien, hij was bedoeld geweest voor de nieuwe bedden in de ouderlijke slaapkamer, waarvan één met inklapbaar onderstel. Kort geleden had ze haar creatie grootmoedig voor het bed van Francien bestemd.

Kon het waar zijn dat mensen zo zeer van elkaar verschilden dat wat voor de één een kunststuk was en tegelijkertijd de vrucht van toewijding en noeste arbeid, door de ander afschuwelijk gevonden werd? Zo afschuwelijk dat het als geschenk niet aanvaard kon worden, misschien zelfs niet eens als zodanig herkend? Nooit zou ze vergeten hoe vreemd haar moeder zich gedroeg toen ze met die zelfgehaakte sprei onder haar oksel geklemd de huiskamer binnen kwam. Ze ging voor de fauteuil van vader staan en hield een monoloog over Francien. 'Je hebt werkpaarden en luxepaarden,' was een van de dingen die ze een paar keer zei. Ze weidde langdurig uit over het verschil tussen het rijke, veilige, neutrale, niet door de oorlog aangeraakte Zwitserland en het onder de voet gelopen Nederland. Toen ze uitgesproken was, spreidde ze haar werkstuk uit op de tafel, pakte een schaar uit het dressoir en knipte het resoluut in stukken, in vieren, in achten, en kleiner, almaar zeggend: 'Weg met dat ouwe tuttending.' De anderen zwegen. Andrea keek naar haar vader, hij verborg zijn gezicht achter een inderhaast opgestoken sigaret. Francien was bij de kachel gaan staan en bekeek het tafereel met de afstandelijke blik van iemand die op straat de orgelman bekijkt. Opeens beende ze de kamer uit en ging weer op de wc zitten. In Andrea's hoofd trok iets samen: mijn moeder is een stiefmoeder, mijn moeder is een stiefmoeder, mijn moeder is een stiefmoeder. Ze rende de kamer uit, vatte post bij de wc-deur en rammelde wanhopig aan de klink. Hayo kwam eraan en begon mee te rammelen.

'Laat dat.' Moeder gaf hun allebei een pets.

'Linea recta naar bed allebei!' riep vader vanuit de huiskamer.

Geen geluiden in de huiskamer. De ruitjes zijn donker. Hayo slaapt.

Ze wil hier niet aan denken, als ze eraan denkt gebeurt het juist, hier niet aan denken, niet aan denken, niet aan denken. Hoe twee leeuwen uit hun kooi in het dierenpark Wassenaar ontsnappen, het is nacht, er is geen mens op straat. De leeuwen slaan linksaf, rechtsaf, sluipen heel dicht langs de huizenrijen, steken over op de vreemdste plekken, rechtsaf, linksaf, komen uit bij het Staatsspoor, springen in de postwagon – hun lichtbruine kleur steekt nauwelijks af tegen het jute van de postzakken – en rijden geeuwend van de honger mee naar het Hollands Spoor. Nu is de rest niet moeilijk meer. Ze hoeven alleen maar uit de coupé te springen, naar de trambaan te sluipen en die te volgen tot aan de rode brievenbus. Oversteken, rechtdoor, linksaf, ho, hier is het...

Haar angstgeur heeft de leeuwen naar hun huis getrokken. Helpt het te bedenken dat de voordeur op het nachtslot zit?

Niets helpt, behalve Hayo wakker roepen. Hij schiet uit bed en is in één, twee sprongen bij de drempel van de kamerdeur, die hij zacht grommend besnuift en besnuffelt, om na een paar tellen los te barsten in een rauw geblaf. Grauwend, bijtend, met bruuske kopbewegingen bewerkt hij de rest van het bedreigde nachtgebied, de meubels, de plinten en de vensterbanken, om ten slotte in triomf de gordijnen naast haar divan opzij te rukken en haar de stille roofdierloze straat te tonen. Daarna gaat hij terug naar bed en slaapt bijna onmiddellijk in.

Zij na een poosje ook, maar ze wordt wakker van stemmen in de huiskamer, het grote licht is aan, en uit de radio klinkt vioolmuziek.

'Maak er maar geen woorden meer aan vuil,' zegt vader.

Gesnik. Radio uit. Voetstappen in de buurt van de schuifdeuren. Een baan licht snijdt door het donker en valt schuin over haar bed. Francien. Ogen dicht. Voetstappen. Kus op voorhoofd, Francien ruikt naar pepermunt. Geschuifel bij het bed van Hayo. Kus. Voetstappen. Schuifdeuren weer dicht. Een poosje niets. Daarna opnieuw gesnik en nu veel heftiger.

'Lezzanfan,' zegt vader.

'Die slapen,' snottert Francien.

De radio.

Onder dekking van het radiogeluid wordt het samen-zijn nog heel lang voortgezet.

Waar is moeder?

De volgende morgen is Francien weg. Als Andrea vraagt: 'Waar is Francien?' zegt haar moeder dat ze wel iets anders aan haar hoofd heeft dan praten over luxe-paardjes die hun plaats niet kennen, en dat ze op moet schieten want ze moet haar brood nog eten en haar schooltas is nog niet ingepakt. Als Hayo vraagt: 'Is ze terug naar Zwitserland?' heeft hij een vinnige klets op zijn bovenbeen te pakken. Dat neemt hij niet. Hij zet het op een schreeuwen. Moeder ploft neer op een stoel en trekt hem op haar schoot.

'Francien woont nu ergens anders,' maakt ze bekend terwijl ze verwoed over het been wrijft dat juist geen klap gekregen heeft.

'Waar?' vraagt Andrea.

'In Bilthoven, bij de tantes en oom Richard.'

'En wie krijgt de kamer van Francien?' vraagt Hayo.

Moeder kijkt op haar horloge. 'Luister goed jullie allebei: ik wil de naam Francien niet meer horen. Begre-pen?'

'Hoezo dan?' zegt Hayo.

'Wat gebeurd is, is gebeurd, maar het is niet goed voor vaders hart. We moeten het vergeten en naar de toekomst kijken. Begrepen? Dus jullie houden je mond over haar. Doe maar net of ze niet bestaat. Begrepen?'

4

In een poging de oude orde te herstellen begon mevrouw Spanjert diezelfde middag aan de afbraak van wat ze kort daarvoor met zo veel plezier had opgebouwd. De kamer van Francien werd gedegradeerd tot opbergruimte die de kasten van beneden moest ontlasten. Hayo sliep daar voortaan, maar het werd nooit zíjn kamer. De naam Francien leek overal aan vast te zitten. Aan de Bata's en de Pots in de grote linnenkast: het gedeelte met de planken was afgesloten en de sleutel opgeborgen. Aan de Bosatlas: Hayo haalde hem niet meer tevoorschijn en tekende geen kaarten meer. Zelfs de Geska Glarus bleek besmet, de Zwitserse strooikaas die sinds jaar en dag als broodbeleg was gebruikt – het werd opgebruikt, maar een nieuw doosje kwam niet op tafel.

Vanzelfsprekend had de verboden naam zich ook genesteld in *De sprookjes van Grimm* die Francien hun op die dag cadeau had gedaan en die ze, geheel uit eigen beweging, buiten de gezichtskring van hun ouders lazen, alsof het ging om een clandestien boek. Het was een beduimeld exemplaar dat naar paddestoelen rook. Francien had het als kleuter van vader gekregen. 'Voor mijn prinsesje,' had hij op de titelpagina geschreven. Op de bladzijde met de tekening van Eenoogje, Tweeoogje en

Drieoogje vonden ze een ansichtkaart uit Scheveningen met de groeten van Thecla en Hermien. Op die met het mannetje dat zichzelf doormidden scheurde toen de koningin bekendgemaakt had dat hij Rompelsteeltje heette, vonden ze gedroogde bloemetjes.

Als dit al geheime tekens waren, dan toch zeker niet van een prinses in nood.

Het fanatisme waarmee haar ouders over het gebeurde zwijgen heeft tot gevolg dat 'Francien' zich in Andrea's hoofd begint voort te planten als bloed dat kruipt waar het niet gaan kan. Mag ze zingen: 'Daar kwam ene boer uit Zwitserland'? Kan ze thuis vertellen dat er een nieuw meisje in haar klas gekomen is, Nina Kleinjans? Wat zijn indischmannen, kan ze dat vragen?

De boze Frederik verschijnt weer aan haar bed.

Hij zegt: de vraag is honger en het antwoord eten, je hebt je bord weer eens niet leeggegeten. Hij vertelt verhalen over Anin Esli, de steenrijke filmster-prinses die elke zondag naar de paardenraces gaat en vreemde hoeden draagt en sigaretten met een smal zwart pijpje rookt. Dat lieve leventje kan niet eeuwig doorgaan: Anin krijgt tb en moet naar Zwitserland. Verschrikkelijk. Verschrikkelijk. Maar de verpleegster zegt: verspil geen lijden en bekeer je. Anin leert van haar de tien geboden van God en de twaalf artikelen van het geloof, ze leert de oefening van liefde en de oefening van berouw. Dat is een goed begin, Anin is na zeven weken beter en nu heeft ze alles in zich om Fransje, het in flanellen doeken gewikkelde verloren engeltje dat meer dood dan levend in de sneeuw is gevonden, in haar armen te sluiten. Als

Fransjes vader zijn verdwenen kind na jaren zoeken vindt, is ze helemaal verzwitserd: ze heeft een bergloop, eet Zwitsers, praat Zwitsers en hangt het Zwitserse geloof aan.

Dat de boze Frederik met een godsdienstkwestie op de proppen komt ligt voor de hand, maar daardoor breidt de taboenaam, die eerst alleen de Bata's had geïnfecteerd, zich nu ook uit naar het achterlijke katholieke zuiden van de Pots.

Ze hebben vrij tekenen. Omdat het zaterdag is en de schoolweek ten einde loopt mogen ze daarbij hardop praten. Naast haar in dezelfde bank zit Titia Scholte. Titia is in Andrea's ogen een benijdenswaardig meisje, ze zit op paardrijden en balletles, afgelopen zomer is ze naar het Gardameer op vakantie geweest. De winterzon schijnt op de ramen van het lokaal en verdeelt de klas in donkere en lichte meisjes. Zijzelf zit op het uiterste puntje van de eerste bank in de middenrij en koestert zich in haar deel van het warme licht. Haar tekening is klaar.

'Eng beest,' zegt Titia, die om in de zon te kunnen zitten ver naar links is opgeschoven. 'Rare lange kop, als hij naar beneden kijkt ziet hij zijn eigen snuit. Wat is het?'

Andrea heeft een paard getekend, haar lievelingsdier, dat is nu eenmaal zo; als ze hem tekent ruikt ze zijn warme, droge, ietwat zurige geur, aait ze hem over het lange benige hoofd eindigend in dat soepele snuitwerk, als van luxe handschoenen. Haar paard heet Geluk, want hij is bijzonder goed gelukt, dat weet ze, het is uitgesloten

41

dat Titia, die zelf niets anders op papier heeft staan dan flodderige bloemetjes, hier geen paard in ziet. Titia buigt zich nogmaals over haar tekening. 'O, ik zie het al, het paardje van de schillenboer.'

Ze zit nog na te denken over de tegenzet als de deur van de klas eensklaps openzwaait. Enkele ogenblikken is er alleen die opengezwaaide deur en het donkere gat erachter. Zuster Angelica is blijkbaar voorbereid, want nog voordat de kapelaan het klaslokaal betreedt, hebben alle kinderen hun potloden neergelegd en hun tekeningen naar de hoek van de bank geschoven. Kapelaan Moons, die ze allemaal nog kennen van de repetities en godsdienstlessen ter voorbereiding op hun communie, posteert zich voor hun bank en trekt een paar keer aan zijn lange, smalle neus. Hij komt gezellig babbelen over het vierde gebod, zo kondigt hij aan.

Eert uw vader en uw moeder.

De kapelaan babbelt over 'het leven van alledag in de gezinnen van de mensen', hij babbelt over gehoorzaamheid, hij babbelt over luisteren, zijn adamsappel beweegt omhoog en omlaag boven de ronde witte boord, zijn langwerpige neusgaten lijken op de openingen in de snijboonmachine thuis. Andrea luistert met een half oor, totdat ze hem hoort zeggen: 'En nu wil ik wel eens weten of jullie écht goed kunnen luisteren.' De kapelaan vraagt hoeveel broertjes of zusjes zij allemaal thuis hebben.

Vier. Acht. Tien. Zes. Vijf. Negen. Zeven.

'Haha, strikvraagje,' lacht de adamsappel, 'ik wed dat minstens de helft van jullie zichzelf heeft meegeteld.' Ze herhalen het luisterexperiment, er hangt een stemming van hoe meer hoe beter.

'Negen,' schreeuwt Jacintha Blok, 'wij zijn thuis met zijn tienen.'

'Niks,' gilt Titia wijzend op zichzelf. Hoe durft ze? Zuster Angelica is er als de kippen bij, ze trekt de kapelaan aan zijn zwarte mouw naar achteren en smiespelt met hem. Nu schiet het Andrea te binnen dat Titia geen moeder meer heeft.

Kapelaan Moons komt weer bij hun bank staan en legt zijn van nature zegenende hand voluit op het blonde haar van Titia. Hij prijst het paard. Titia laat het zo, maar er staat Andrea Spanjert in de rechterbovenhoek en de kapelaan kan lezen.

'Spanjert?' zegt hij dan ook. 'Spanjert?'

Nu kijkt iedereen naar haar, nu moet ze zeggen: één. Een? Is dat wel zo? Ineens, zonder dat kapelaan Moons ernaar vraagt, spreekt ze de taboenaam hardop uit, maar twee is erg mager en daarom tovert ze – het gaat werkelijk vanzelf – een dood broertje tevoorschijn.

Het is muisstil in de klas. De kapelaan komt aan haar kant staan, het donker van zijn priesterkleed verbindt zich met de schaduw die nu ook naar haar gedeelte van de bank is opgeschoven, maar in de afdruk van zijn hand voelt ze nog de warmte van haar zonbeschenen haren.

'Hoe heette jouw broertje?'

'Paulus Gerardus Jacobus Maria Spanjert,' antwoordt ze zonder blikken of blozen. Kapelaan Moons vouwt zijn handen en wendt zich tot de klas als geheel. 'Laten we bidden voor onze dierbare overledenen.' En nu bidden zesendertig meisjes een onzevader en een weesgegroetje voor de zielenrust van de moeder van Titia

Scholte en het broertje van Andrea Spanjert.

Terwijl ze naar huis loopt heeft ze het gevoel te zweven. Als ze de hoek van haar straat om slaat ziet ze ter hoogte van hun huis een ziekenwagen staan. Ze denkt, mevrouw Martinus is ervanaf, en ze zet het op een rennen om van dichtbij mee te kunnen maken hoe haar buurvrouw uit huis wordt gedragen. Maar mevrouw Martinus bevindt zich onder de eerbiedig zwijgende toeschouwers en het is niemand anders dan haar eigen vader die – stevig vastgegespt op een brancard – behoedzaam in het donker van de ziekenauto wordt geschoven, als een brood in de oven. De deuren worden dichtgeklapt en weg is hij. Terwijl de auto de straat uit rijdt en zij daarnaar kijkt, zich concentreert op het zwaailicht, schiet door haar heen dat haar vader nu dood kan gaan. Ze blijft, ook als de ambulance uit het zicht is, roerloos naar de hoek staren, niet van zins een eind te maken aan het eigenaardige gevoel dat haar doorstroomt van hoofd tot voeten, alsof haar lichaam geen gewicht heeft.

Na zijn terugkomst uit het ziekenhuis was meneer Spanjert voortaan thuis. Zijn grootste hartstocht, het roken, moest hij opgeven. Wat hem niet lukte. Omdat de dokter had gezegd dat hij zich niet mocht opwinden, ging hij niet meer naar de zondagsmis. Nu kon hij zich volop wijden aan het bijwerken van Hayo, waar de opwinding als het ware bij zat ingebakken. 'Stommeling! Ezel! Lieve hemel, als dit zo doorgaat mag je later retenkrabber worden bij de Haagse Tramweg Maatschappij! Of classificeerder in de Rotterdamse haven!'

Hij was er zo van overtuigd dat zijn zoon op slinkse wijze wiskundige talenten achterhield, zoals een kaartspeler zijn troef, dat hij hem zodra er maar een glimpje inzicht daagde behandelde als een bedrieger die een steek heeft laten vallen. 'Zie je wel, je kunt het best, als jij niet te beroerd was om gewoon je hersens te gebruiken, je horizon te verbreden...'

Deze periode in hun leven heette 'de grote klap van vaders tweede hartaanval', waarbij de naam Francien niet genoemd hoefde te worden om als oorzaak mee te tellen. 'De grote klap' overtrof de eerste hartaanval in zwaarte, slokte deze als het ware op. Door de manier waarop haar moeder over hartaanvallen praatte, in kapitalen als het ware, werden de gebeurtenissen eromheen er automatisch naartoe getrokken en mee versmolten. Zo bracht ze de eerste hartaanval, die dateerde van de herfst voorafgaand aan de ruzie met oom Thieu, met 'het fiasco van die tweede kerstdag' in verband (en dat fiasco met de oorlog want daar lag de oerbron). Toch was meneer Spanjert in december al zo ver hersteld geweest dat hij gewoon weer naar kantoor kon en dat herstel had zich na het fiasco doorgezet.

De grote klap: die droom van ergens bij horen en daarmee verbonden raken, waar zo abrupt een einde aan gemaakt was met het in stukjes knippen van die beddensprei.

5

In de onderlade van de spiegelkast op de overloop ligt tussen hun gebreide zwemkleren, de mutsen, de dassen, de wanten en een onbegrijpelijk groot aantal nog te stoppen sokken: de koninginnedagtas. Een plat gehaakt geval, oudroze. Hoe is het mogelijk dat aan deze krachteloze kleur de eer is gegund het vlammende oranje van de lange linten en de brede sjerpen te herbergen? Andrea neemt een paar van die linten uit de tas en drukt de koele, gladgestreken stof tegen haar wang, ze pakt de uiteinden tussen duim en wijsvinger en gooit de linten omhoog. Terwijl ze zich ontrollen, begint ze al te zwaaien en te draaien, de lichte zijde wervelt om haar heen, ze maakt achten, cirkels en spiralen, het ziet er goed uit. Als ze dit een tijdje heeft gedaan, bergt ze de linten op en drapeert een sjerp over haar rechterschouder. Ze bekijkt zichzelf van hoofd tot voeten. Er klopt iets niet. Te kort, te lang? Dat kan toch niet? Ze probeert haar linkerschouder.

Hayo komt de trap op, hij komt naast haar staan en houdt zijn hoofd schuin. 'Net een paaskonijn, het staat niet, het is…'

'Kinderachtig,' zegt ze tot haar eigen verbazing. Ze doet hem af, rolt hem op en stopt hem terug in de roze tas.

Zij is twaalf, Hayo net veertien. Vorig jaar droegen ze allebei oranje sjerpen, vol overtuiging; strikt genomen heeft zij nog twee jaar te goed, maar ze ziet in dat het niet kan. Hayo heeft gelijk, het staat niet, het is kinderachtig. En ze doet ook geen oranje strik om haar paardenstaart. Het idee, op school draagt ze toch ook geen strikken meer?

Hayo: 'Je moet je haar los doen, dan zie je er veel ouder uit.' Hij haalt een fijngetand kammetje uit zijn broekzak en begint zijn Cesar-kapsel bij te werken. Er hoeft niet veel aan te gebeuren, op het grondidee – geen zijscheiding, een zijscheiding is braaf en kinderachtig – valt voor hem niets af te dingen. Hij verplaatst een paar haartjes en wil het kammetje weer wegdoen.

'Kom hier, het zit niet goed.' Hayo staat toe dat ze zijn haren aan de zijkanten schuin kamt. Een paar minuten later, als ze gaan ontbijten, heeft hij alles weer recht naar voren gedaan.

Terwijl ze hun broodjes eten, kadetjes van Lensvelt Nicola die ze met een dikke laag oranjemarmelade mogen beleggen, hoort ze op de radio 'Oranje boven' zingen. Langs het zonverlichte raam aan de voorkant trekken groepjes mensen voorbij, ze dragen oranje strikken, oranje sjerpen en rood-wit-blauwe vlaggetjes. Alles loopt dezelfde kant op, naar de plaats waar het te doen is: het kleine, met kermistenten volgestouwde Frederik Hendrikplein. Onverdraaglijk dat ze nu nog aan het eten zijn en als Wilfried van de overkant op de ruit tikt, glijdt Hayo meteen van zijn stoel en gaat bij zijn vader staan: 'Pa, wij gaan nu dus naar de kermis.'

Vader glimlacht zijn koninginnedag-glimlach, hij

haalt een ietwat rondgebogen portemonnee uit zijn achterzak en legt zes koninginnedagkwartjes op een rijtje, drie voor Hayo, drie voor Andrea.

'Genoeg?' vraagt hij. (Eén ritje met de botsauto's kost vijftig cent, maar zaniken en zeuren om een paar kwartjes is niet goed voor vaders hart.) Hayo schuift zijn aandeel in de holte van zijn hand en voegt het bij de stuivers in zijn broekzak. Een paar seconden later staat hij buiten voor het raam te springen en te roepen dat ze moet opschieten. Hij springt op en neer om het geld in zijn broekzak veelbelovend te laten rinkelen. Dat Wilfried het niet nodig vindt om hoge sprongen te maken, betekent dat hij minstens het tienvoudige op zak heeft. Het is dus zaak om bij Wilfried in de buurt te blijven en hem aan te moedigen zijn geld in een zodanig tempo uit te geven dat hij onverschillig wordt tegenover de prijzen die hij in de wacht sleept. Ze zullen zeggen dat het waardeloze prullen zijn, in de hoop dat hij hun op het einde van de dag iets afstaat: een setje kleurpotloden, een geëmailleerde luciferhouder of een vaasje met de groeten uit Gouda. En ze zullen ervoor zorgen dat Wilfried zo spoedig mogelijk, misselijk geworden van de suikerspinnen en de wijnballen, zijn kaneelstok van een halve meter lengte op zijn bovenbeen doormidden breekt en met hen deelt.

De draaimolen draait, de muziek bonkt, de leren voetbal met de rode kwast wordt neergelaten en omhooggetrokken, neergelaten en omhooggetrokken. Hij schommelt uitnodigend voor de neus van een paar kleuters in een brandweerwagen, die er beduusd naar kijken en niet eens een poging doen de kwast te pakken. Maar als Hayo in het zicht komt, hoog te paard, het ontbreekt er nog maar aan dat hij boven op het zadel gaat staan, schiet de bal met een ruk de hoogte in. Zo gaat het steeds. Het is duidelijk: de man die het touw bedient, vindt dat slungels met naar voren gekamde haren niet in zijn draaimolen thuishoren. Wilfried krijgt evenmin een kans, het kan hem niet schelen, hij zit achterstevoren op zijn paard en maakt schrikachtige bewegingen met armen en benen naar de kleuters in de brandweerwagen en die lachen zich een bult.

Na twee ritjes houdt Wilfried het voor gezien. Hayo niet. Hij koopt nóg een kaartje, hij is razend, nóg een kaartje. Hoeveel kwartjes heeft hij nog? Waarom geeft hij het niet op? Dat doet hij wel. Vlak voor het einde van de vierde rit, als de molen iets langzamer gaat draaien, springt hij eensklaps van zijn paard en werpt zich in het achteruitdeinzende publiek. Neergekomen, vallend min of meer, maar alweer overeind verend, staat hij enkele momenten stil om zijn duizeling de baas te worden. Vervolgens gaat hij, wankelend op zeebenen, naar de kaartjesverkoop voor de botsauto's en wisselt daar een briefje van een gulden.

Wilfried schraapt zijn keel en maakt een grommend geluid, hij tovert een zonnebril uit zijn broekzak en zet hem op. 'Jattepik stik,' zegt hij zakelijk kortaf met dat binkerige ding op zijn gezicht. En dan doet Wilfried iets ongelooflijks. 'Kom mee prinses.' Hij kust haar vol op de mond en voert haar mee naar het groene hokje van de kaartjesverkoop.

49

Ze is al geruime tijd thuis als Hayo terugkomt. Hij loopt meteen door naar de keuken en gooit een pak Maja-zeepjes en een doos rumbonen op de keukentafel. Luid roepend, met geen andere bedoeling dan dat zijn ouders in de huiskamer het horen, beklaagt hij zich over de da-mesdingen die Wilfried hem gegeven heeft, het is rot-zooi.

'Gepikt van moeder,' zegt Andrea fluisterpratend.

'Gevonden, twee guldens, ze lagen in elkaar gevou-wen naast de prullenbak bij de friettent.'

'Gezellig.'

'Kan toch?'

'Melkkan, koffiekan, alles kan, ik zag je staan bij de la.'

'La? Welke la?'

'De tralala.'

'Zeg jij maar niks,' roept Hayo, 'ik zag het wel. Bah, dat jullie hebben lopen zoenen, jij bent er ook vroeg bij.'

'Zoenen? Getvergetvergetverderrie! Je bent een dief, een goorlap en een leugenaar en je haar zit idioot!'

Schoppen. Slaan. Harentrekken.

Waar er twee ruziemaken hebben er twee schuld. Ze zitten op hun strafstoelen, elk in een eigen hoekje van de schuifdeurnis, als de goede en de slechte moordenaar. Ze zijn veroordeeld tot een uur lang zwijgend nietsdoen en kijken hoe hun ouders in de serre met het leven doorgaan, pratend op gedempte toon, nippend van hun oranjebitter. Totdat er driftig op een ruit in de voorka-mer wordt getikt.

'Wat is dát in vredesnaam?' zegt hun moeder – alsof

getik tegen ruiten op dit deel van de aardbol zelden voorkomt. Ze heft het knaloranje glaasje ietsjes hoger, een lampionnetje, en tuurt onder haar elleboog door in de richting van het getik.

'Hé, Thecla en Hermien!' Hun vader komt overeind om hoogstpersoonlijk de deur open te doen, hij trekt aan de knoop van zijn das en strijkt zijn witte berenoren achterover. Als hij onderweg naar de voordeur de twee gestraften in het oog krijgt, laat zijn gevoel voor logica hem even in de steek. Hij vertraagt zijn pas, bezweert hen te blijven zitten waar ze zitten, netjes met twee woorden te spreken, geen mond open te doen, zich niet te verroeren en hun moeder te helpen in de keuken. 'Of ga anders nog een uurtje naar de kermis,' oppert hij, al aan het oog onttrokken, vanuit de gang.

Overrompeld door de mogelijkheden blijven ze zitten totdat de tantes hen met brede armgebaren tegemoet komen en aan hun boezem drukken.

Behalve de beide tantes en Francien (die zich al die jaren niet meer hadden laten zien) komen binnen: oom Richard en een vrij lange, roodharige man, die zich voorstelt als Wieger Temminga, de verloofde van Francien. Dat dat kleine mannetje oom Richard moet zijn, is overduidelijk, want hij lijkt als twee druppels water op hun vader. Behalve dat hij er nogal Indisch uitziet – vreemd genoeg, want het uiterlijk van hun eigen vader hebben ze nooit als zodanig beschouwd. Waar zit hem dat in? In zijn bruine ogen? Hun vader heeft blauwe. Verder is er weinig verschil: dezelfde ronde neusvleugels, dezelfde tengere gestalte, oom Richard is iets kleiner, zelfs de kapsels komen overeen, zij het dan dat de berenoren van oom Richard platter op zijn schedel liggen. Maar het grootste verschil zit hem niet tussen oom Richard en zijn broer, maar tussen de twee mannen die hun vader blijkbaar in zich bergt. Hij begint van binnenuit te stralen en wordt spraakzaam en charmant. Hij lardeert zijn taal met Indische, Engelse en Franse woorden, barst om de haverklap in lachen uit, haalt de kristallen glazen uit het dressoir, ontkurkt twee van de drie cadeau gegeven flessen Château Neuf du Pape, prijst het boeket, schenkt met de gratie van een maître d'hôtel de glazen vol en brengt met tranen in zijn ogen een dronk uit op het levensgeluk van Francien en haar verloofde Wieger.

Het bleek dat hun halfzus, die al die tijd bij oom Richard en de tantes was blijven wonen, een aantal jaren in Utrecht had gestudeerd. Nederlands, om zich beter thuis te kunnen voelen in haar vaderland. Daar had ze Wieger ontmoet, die chemie studeerde.

Deze koninginnedag bracht in zoverre verandering dat de naam Francien niet langer werd vermeden, maar van een hernieuwd contact kon geen sprake zijn. Wieger had een baan aanvaard in de petrochemische industrie en nu stond het verloofde paar op het punt naar Texas te vertrekken, waar ze ook zouden trouwen. De aanwezigheid van oom Richard in hun huis zou iets eenmaligs blijven; hij was erbij geweest vanwege die verloving.

6

De hoelahoep maakte de heupen los en Elvis' 'Heart-break Hotel' was een wereldhit, maar op het R. K. Lyceum voor meisjes in het centrum van de stad was het dragen van een lange broek – met een rok eroverheen – al het toppunt van moderniteit.

'Kom H. Geest, vervul de harten van Uw gelovigen en ontsteek in hen het vuur van Uw liefde.' Alle lessen begonnen en eindigden met een gebed. Het woord make-up wekte associaties met hoerigheid. Wie in het gezelschap van een jongen werd gesignaleerd – op het strand, in de Bijenkorf of waar dan ook – en het was níet haar broer, moest bij de rector komen voor een preek over de gevaren van de aardse liefde.

In de eerste klas fietste Andrea een tijd lang naar school met Claudia en Livien de Wit, ze woonden bij haar in de buurt. Claudia, de jongste, zat in haar klas; ze droeg een blauwe vlindervormige bril, min acht. Je zou kunnen denken dat Claudia als ze die bril afdeed ook haar ogen wegnam – blauwe knikkertjes in dikke glazen. Livien zat in de derde. Zij droeg eveneens een bril, min vijf, met een donkerrood montuur waarin lichtgrijze tekentjes waren verwerkt; Livien zei dat hij 'televisie-vormig' was.

De zussen onderhielden een haat-liefdeverhouding met de spiegel. Claudia had lange donkere wimpers en een smalle licht gebogen neus. Daar was ze trots op. Minder enthousiast was ze over haar ietwat puntige bovenlip. Bovendien was haar bovenlijf niet in orde, te lang in verhouding tot haar korte benen. Livien was heel tevreden met haar lange hals, haar volle lippen en haar kastanjebruine haar. Minpunten: flessenkuiten, te dikke bovenarmen, iets te grote schouderbladen en een holle rug. Ook had ze knobbeltenen en te lange oren.

Andrea: 'Lange oren geeft niet.'

Livien: 'Oren blijven altijd groeien, langzaam en gestaag. Is het je nooit opgevallen dat oude mensen zulke grote oren hebben?'

Claudia: 'Ik neem geen kinderen. Jij? Toen ik geboren werd lag ik dwars in de baarmoeder en daardoor moest bij mijn moeder het mes erin. Zó'n jaap, ze heeft me het litteken laten zien.'

Livien: 'Jij bent best knap, alleen te schriele schouders en te veel haar op je benen en te weinig boezem.'

Claudia: 'French kiss, weet je wat dat betekent?'

Toen Andrea voor het eerst ongesteld geworden was, had haar moeder, met een trilling in haar stem en tegelijkertijd vastberaden en kordaat, gewaarschuwd voor de mannen met hun verbazingwekkende hoeveelheid zaadcellen, miljoenen, die bij het samenleving hebben de baarmoeder in zwommen; elke cel apart droeg leven in zich en het ging er maar om welke als eerste dat ene tot rijping gekomen eitje zou bevruchten.

Dit beeld van strijd en mannelijke overmacht in haar eigen buik – een terrein dat ze altijd had gezien als onderworpen aan haar eigen soevereiniteit – leek aan te sluiten bij wat de moderator kort geleden in de godsdienstles over het driftleven van mannen had verteld; hun geneigdheid zich te laten leiden door lage zinnelijke lusten. Het was de taak van elke vrouw – en zeer in het bijzonder van de katholieke vrouw – het dierlijke in mannen te beteugelen, te temmen als het ware. Zo en niet anders werd de lichamelijke liefde tussen man en vrouw op een hoger geestelijk niveau gebracht.

In een la van het dressoir, bij de paspoorten, de formulieren voor de kinderbijslag en de map met bankafschriften lag een bleekgroen boekje, *Nuttige Wenken voor Gehuwden*:

'Het hoofddoel van het huwelijk is kinderen voor God voort te brengen en christelijk op te voeden.'

'Over den huwelijksplicht: De huwelijksplicht is de plicht om tot het huwelijksgebruik over te gaan, wanneer dit door een van beide echtgenooten ernstig verlangd wordt en er geen gewichtige reden is om te weigeren b.v. ernstige ziekte, gevaar voor besmetting, dronkenschap, gevaar voor ergernis enz.'

'Bij het huwelijksgebruik is verboden elke handeling, gesteld om het verwekken van kinderen onmogelijk te maken; men pleegt aldus geen huwelijksgebruik meer, maar huwelijksmisbruik en maakt zich schuldig aan de wraakroepende zonde van onkuischheid tegen de natuur.'

Wat was zo fijn aan de verboden vruchten van de liefde als je die (op straffe van dood neer te vallen na de eerste hap) al bij het proeven moest vermengen met iets heiligs en verhevens in jezelf?

Van Claudia en Livien de Wit had ze beslist iets kunnen leren. Ja, als ze hen had binnen gelaten, maar ze had nog nooit vriendinnen mee naar huis genomen. Niet dat het haar verboden werd, ze deed het uit zichzelf niet, voornamelijk vanwege het opa-achtige voorkomen van haar vader en zijn gewoonte in een antracietgrijze, op het zitvlak en de schouders al flink glimmende peignoir door het huis te lopen en in de huiskamer te zitten. Meestal kleedde hij zich pas aan als zij en Hayo al lang uit school waren, dan kwam hij bij het theedrinken de huiskamer binnen met watjes op zijn wangen en kin, dunne plukjes om de scheerwondjes die hij gemaakt had af te dekken.

Ze moest er niet aan denken dat Claudia en Livien zouden zien hoe haar moeder, zijn dag- en nachtverpleegster, de begonia's in de voorkamer water gaf; hoe ze de dode bloempjes wegplukte en vervolgens naar de serre liep, waar haar echtgenoot, half verscholen achter de ficus, de krant of een boek zat te lezen. Hoe ze die ficus, haar pronkstuk, begoot, om daarna, als in één moeite, die watjes van zijn kin en wangen te plukken, zwijgend, hem niet storend omdat hij zat te lezen, hij niet opkijkend.

Na een tweetal maanden bekoelde de vriendschap.

En zo ging het met alle vriendschappen, ze bekoelden na verloop van tijd. Een voordeel was dat ze geen gokneus had, geen waterige varkensoogjes en geen konij-

nentanden, geen spillepoten, geen holle rug, geen flessenkuiten en geen dikke kont. Ze schepte niet op over
mooie cijfers en was goed in gym. Bij conflicten nam ze
het bij voorkeur op voor de zwakkeren, maar nooit voor
degenen die helemaal onderaan de pikorde stonden.
Voor haar klasgenoten was Andrea Spanjert de ideale
tijdelijke overbrugging van de ene min of meer stabiele
vriendschap naar de andere.

Hayo en Andrea deden in hetzelfde jaar eindexamen en
slaagden beiden. Alhoewel hij daar nooit eerder over
had gesproken, bleek nu dat hun vader toekomstplannen
voor hen allebei had: Hayo naar de TH in Delft, Andrea
naar de kweekschool.
'Ik wil geen schooljuffrouw worden, pa.' Verpleegster
mocht ook. 'Nee pa, dan ga ik liever naar kantoor.' Ze
had een moderne taal willen studeren, Engels, Duits of
Frans, maar haar diploma gaf geen toegang tot de universiteit; trouwens, voor twee academische studies waren
de middelen niet toereikend.
Wat wilde Hayo worden? Hij had geen flauw idee –
'ja, filmster', liet hij zich een keer ontvallen, tot grote
woede van zijn vader die dit soort grapjes niet kon hebben nadat hij jaar in jaar uit had geprobeerd hem de
schoonheid te doen inzien van de theorema's en natuur-
wetten.
Om niet het risico te lopen dat hij zich in zijn studiekeuze zou vergissen besloot Hayo eerst maar eens in
dienst te gaan.

Andrea leerde typen en ging na de zomer werken op de administratie van de middelbare school waar ze al die jaren leerling was geweest. Het overgrote deel van het lerarencorps was boven de veertig. Als ze van school naar huis fietste, had ze soms het gevoel dat niets in de wereld erop gerekend had dat zij er ook zou zijn.

'Hayo, ik mis je,' schreef ze naar de kazerne in Ossendrecht. 'En wat moet ik in mijn eentje met die twee? Gisteravond kwam ik iets na zessen thuis. Toen ik de kamer binnen kwam voelde ik iets in me opkomen, ik weet het niet, een vreemd schrijnend gevoel, misschien was het liefde, misschien was het haat. Zoals die twee daar zaten achter hun dampende soepborden: bovenlijven, afgesneden door de tafelrand. Ze deden zo hun best om er niets van te zeggen dat ik vijf minuten te laat voor het eten was. Soms heb ik het gevoel dat ze een heel groot ei uitbroeden, wat zit erin, een schildpad of een krokodil?'

De andere rekruten kregen brieven van hun meisje, Hayo van zijn zus. Hij schreef nooit terug.

Enkele weken voor de paasvakantie werd de sectie Engels uitgebreid met Gijs Dankaert: vierentwintig, donkerblond, bijna afgestudeerd, stevig van postuur, liefhebber van Godard en Ingmar Bergman. 's Avonds in bed, zichzelf opsplitsend in een beminnend en te beminnen deel, omhelsde ze haar hoofdkussen, kuste ze haar bovenarmen. Ze probeerde zich daarbij zijn ogen voor de geest te halen, niet groen, niet blauw, maar grijs met lichtbruine spikkeltjes, net visjes in een vijver. De ogen, de ogen, het summum van, ja wat? Het Innerlijk, de Ziel, het niet-Fysieke.

Op een middag kwam hij tegen halfvijf (ze stond al

met haar jas aan, de school was nagenoeg verlaten) de administratie binnen, wapperend met een volgetypt moedervel dat gestencild moest worden. Hij complimenteerde haar uitvoerig met de vaardigheid waarmee ze het flinterdunne dekvel zonder rimpelingen op de geïnkte rol kreeg; terwijl de Gestettner de tachtig blaadjes oppakte, over de rol liet lopen en aan de andere kant uitspuwde, had hij zijn bril afgezet. Ze hadden elkaar gekust. 'French kiss!' schreef ze aan Hayo.

'Je moet niet schrikken,' zei ze tegen Gijs toen ze eenmaal had besloten hem aan haar ouders voor te stellen, 'mijn pa ziet eruit als iemand van tachtig en ik denk dat hij "jongmens" tegen je gaat zeggen.'

'Een Marlowe-kenner hè?' zei haar vader toen ze net zaten. Gijs beaamde dit, zijn doctoraalscriptie ging over *Dr. Faustus*.

Meneer Spanjert legde zijn trombosebeen op de poef en declameerde: 'Mountains and hills, come, come, and fall on me / And hide me from the heavy wrath of God.' Hij keek Gijs indringend aan. 'Prachtige onheilszwangere regels, vind je niet? Je zou er haast van in God gaan geloven.'

Gijs diende hem zwijgend van repliek.

Vervolgens stelde meneer Spanjert vragen over sport, muziek en politiek. Wat vond Gijs van Jan Cottaar als commentator van de Tour de France. Welk dagblad had zijn voorkeur. Wat was zijn mening over De Gaulle, de OAS, Charlie Parker. In de loop van het gesprek begon hij heftig op en neer te bewegen met zijn linkerbeen. Andrea kwam tussenbeide.

'Pa, heeft u last van uw voet? Ga even lopen, Gijs blijft eten, jullie hebben straks nog tijd genoeg om te praten.'

In die weken moest haar vader elke dag een paar keer wandelen om de bloedcirculatie op gang te houden. Bij regen, wind en temperaturen onder vijf graden gebeurde dit binnen, anders kreeg hij vaatkrampen. Het was eind november en flink koud, dus liep hij zijn binnenparcours: vanuit de huiskamer naar de gang, daar een paar keer op en neer tussen de keukendeur en de voordeur, vanuit de gang naar de voorkamer, door de openstaande schuifdeuren weer naar de huiskamer, waar hij een paar rondjes om de tafel draaide en zo verder. Omdat alle deuren openstonden wanneer hij hiermee bezig was, gingen vrouw en dochter dan meestal naar de keuken.

'Pa, wij blijven hier zitten,' zei Andrea. Daar kreeg ze heel snel spijt van want haar vader piekerde er niet over het vraag- en antwoordspel te onderbreken. Hij stelde een vraag, wandelde naar de deur en verwachtte een kant-en-klaar antwoord zodra hij weer in het zicht was. Gedurende de tijd dat hij rondjes om de tafel draaide formuleerde hij de volgende vraag. Of Gijs' ouders van 'de vrijage' op de hoogte waren. Of Gijs met een tweedegraads bevoegdheid een vaste aanstelling kon krijgen. Of Gijs al in militaire dienst was geweest.

'Jongmens,' vroeg hij tot slot met het gezicht van iemand die heus wel weet dat zijn dochter haar gewicht in goud waard is, 'ben je in staat mijn dochters eer te respecteren?'

'Pardon?'

Gijs zei dit op een toon waarin zoveel opperste verbazing doorklonk, dat Andrea als gestoken overeind schoot uit haar zittende positie. Ze liep haar vader achterna naar de keuken. 'Ophouden, pa, onmiddellijk!' Nooit eerder had ze hem toegesproken in de gebiedende wijs.

'Hè, hè, ophouden? Waarmee?' Het klonk weerloos, uit het lood geslagen, ineens pakte hij haar krachtig bij de schouders en kuste haar op beide wangen. 'Proficiat, Andrea. Heeft je moeder je wel voorgelicht?'

'Maak je maar geen zorgen, pa.'

'French kiss!' Daaronder de naam van haar verlosser, elke letter gevat in een vlammend rood hart. Ze trouwden de zomer daarop.

Paris, Paris, l'amour... De hete middagzon staat voluit op de gevel. De kamer met het tweepersoonsbed aan de achterkant die ze ruim een maand tevoren al besproken hebben is vanwege een lekkage daar niet voorhanden. Bij het open raam aan de overkant zat toen ze binnenkwamen een oude man piano te spelen. Ze hadden er een tijdje naar geluisterd vanaf het smalle gangetje tussen de bedden en de vensterbank en enthousiast geapplaudisseerd.

'Encore?'

Gezwaai over en weer, het contact met de gewone Fransman. 'Oui, oui, encore!' Met verdubbelde energie had hij 'Milord' ingezet en daarna van geen ophouden geweten.

'Merci monsieur, merci, merci!' Ze had de luiken dichtgedaan, de ramen, de met bloem- en bladmotieven opengewerkte vitrages en de naar tabak stinkende goudgele overgordijnen.

'Wat doe je?' vroeg Gijs verbouwereerd. 'Waarom moet alles nou ineens potdicht?' Hij deed de lelievormige plafonnière aan.

'Hij weet het,' ze schoot de douchecel in, 'die man weet precies wat we hier komen doen.'

'Ja, nu wel.'

Haar matras ligt hoger dan het zijne. Om van de bedden één groot liefdesnest te maken heeft ze de beide onderlakens dwars op de matrassen gelegd en stevig ingestopt.

'Andrea.'

Ze staart in het gele licht van de plafonnière, een en al lichaam is ze, offergave op verhoging, daarnet nog fris gedoucht en nu al zwetend, niet van opwinding.

Gijs ademt in haar oor, lichtjes, alsof hij een ruit bewasemt. 'Hé, joh.' Hij legt zijn hand op haar buik, voorzichtig, alsof die buik van haar van porselein is. Zijn hand is koud. Hoe kan dat? (Het komt niet in haar op dat ook hij nerveus kan zijn.) Koude hand van Gijs. Ze zou die hand willen verwarmen, de beste manier, oppakken en hoog tussen haar dijen leggen. Nu al?

De impuls verflauwt. Gijs mag niet denken dat ze hongerig naar lage aardse lust wil zeggen: pak me, grijp me bij mijn kruis. – O moeder Maria, we hadden wijn moeten drinken.

'Ik stik.' Gijs springt uit bed en schuift de vracht gordijnlagen met bruuske bewegingen naar links en naar rechts. Het zonlicht, getemperd door de lamellen van de luiken, glijdt als een tijgervel over hem heen, hij morrelt driftig aan de spanjolet en duwt verwoed.

'Wacht, naar binnen.' Ze staat al naast hem en haalt

de beide raamhelften naar zich toe. Ze ploft terug in bed en trekt aan het touwtje van de plafonnière.

'Hello Dolly…' Vanuit het huis aan de overkant klinkt nu het rauwe korrelige stemgeluid van Louis Armstrong.

Hield ze van hem? Jawel. Ze hield van zijn stevige postuur en zijn sportieve uiterlijk, en van zijn knappe gezicht, met en zonder bril. Misschien minder van zijn gezicht als geheel, want dat had iets onbewogens, maar daardoor des te meer van zijn smalle beweeglijke lippen, die in contact leken te staan met de dunne neusvleugels daarboven, altijd gespannen als hij zich ergens over opwond. Die neus en die lippen gaven hem iets dichterlijks. Al droeg hij dat niet uit. Ondanks zijn studiekeuze voor de schone letteren was Gijs de nuchterheid zelve. Zelfs in de liefde. Dat vooral beviel haar goed, want ze had gedacht dat er van alles bij kwam kijken. Ja, ze hield van de manier waarop ze de liefde bedreven, snel, doelgericht, alsof ze elk moment gestoord konden worden. Dankzij deze aanpak was ze in korte tijd verlost van haar scrupules. Hield ze dus van Gijs? Jawel. Maar als ze hem in tweeën moest verdelen, zou ze zeggen: voornamelijk van zijn lichaam. Het leek wel of de liefdeskracht die in haar school zich op die hete middag in Parijs van de ziel verplaatst had naar het lichaam.

7

In dezelfde week dat Andrea in Heleentjes babyboek over haar te korte wortels had geschreven, was ze tot de ontdekking gekomen dat er een bijzonder effectief geneesmiddel tegen menstruatiepijnen bestond. Ze las erover in een damesblad. Vrouwen moesten er rekening mee houden – geen juichtoon, geen afkeur – dat ze gedurende de periode van gebruik niet zwanger konden worden.

Andrea was net eenentwintig geworden. Steeds vaker bekroop haar het gevoel dat het leven haar ergens had gebracht waar ze niet wilde zijn. Ze ging drie keer in de week bij haar ouders op bezoek. Ze had geen vrienden en vriendinnen, alleen kennissen, collega's van Gijs en hun echtgenotes. Hayo, die na afloop van zijn diensttijd naar Leiden was vertrokken om er te studeren, liet zelden van zich horen. Het grootste deel van haar tijd bracht Andrea met Heleentje door. En met de wonderen van de welvaart: haar tv, haar koelkast, haar naaimachine, haar wasautomaat, haar centrifuge, haar strijkmachine ('zittend achter uw machine behoeft u alleen nog maar de stof te leiden').

Het artikel weidde uitvoerig uit over de werking van de hypofyse, het oestrogeen, het progestageen, het uitblijven van de eisprong, en daardoor van de menstruatiepijnen. De volgende ochtend meldde ze zich bij haar huisarts met de genoemde klachten en kort daarop hadden zij en Gijs hun eerste hooglopende meningsverschil, nadat ze was thuisgekomen met inschrijfformulieren voor een cursus stenografie en handelscorrespondentie – en passant had ze erbij gezegd dat ze de pil slikte.

'En Heleentje dan?'

Gijs was een praktisch ingesteld man, principiële kwesties van het soort 'ik wil niet dat mijn vrouw buitenshuis gaat werken', of 'ik kan dit niet rijmen met het geloof' bracht hij in stelling door op de organisatorische onmogelijkheden ervan te wijzen. In dit geval waren die niet ruimschoots voorhanden, want de cursus die Andrea wilde volgen viel op twee avonden en een dinsdagmiddag.

'Jij kunt toch twee avonden per week op haar passen?'

'En die dinsdagmiddag dan?'

'Dan komt oma.'

Dankzij deze oppassessies werden de affectieve banden tussen de twee vrouwen zo stevig aangetrokken, dat Andrea op een middag haar cursus afbelde om een paar uur met haar moeder alleen te kunnen zijn.

Ze was begonnen met de vraag waarom de tantes Thecla en Hermien in de jaren dat Francien in Bilthoven woonde, nooit meer op de bezoek waren gekomen.

Haar moeder keek ongelovig naar de theepot en de schaal met koekjes op het lage tafeltje. 'Je gaat me niet vertellen dat je je cursus laat schieten om over Francien en de tantes te praten.'

'Nee, maar het kwam ineens bij me op.'

'Partijdigheid, zo gaat dat nu eenmaal. En om de een of andere reden hebben oom Richard en de tantes nooit veel belangstelling voor jou en Hayo getoond. Alsof ze in familiezaken hun gevoelens maar één keer kunnen besteden, als je begrijpt wat ik hiermee wil zeggen. Stil eens, ik hoor Heleentje.'

'Die ligt er net in,' zei Andrea.

Haar moeder herinnerde zich eensklaps dat haar handtas bij de spiegel in de gang stond, ze wist wel dat die handtas daar geen pootjes zou krijgen, maar het gaf haar een onrustig gevoel. 'Onaf, zoals wanneer je zit te eten, en je weet dat de kamerdeur achter je rug op een kier staat.'

Andrea stond op en liep de gang in om die handtas te halen; terwijl ze ermee binnenkwam vroeg ze of de tantes lesbiennes waren.

'Lesbiennes?' Haar moeder keek of ze het in Keulen hoorde donderen.

'Lesbiennes ja, u weet toch wel wat ik bedoel?'

'Ja, ja,' zei ze haastig, 'levensvriendinnen, maar dat weet ik echt niet hoor. Je vader en ik hebben het daar nog nooit over gehad, daar blijven wij buiten. Ik weet alleen dat oom Richard en tante Thecla geen kinderen konden krijgen. Wist je trouwens dat oom Richard...' Ze zweeg en wendde haar bovenlichaam naar de tuin. 'Moet je toch zien, wat jullie tuin er prachtig bij staat.' Ze stond op en liep naar de tuindeuren. 'Hoe heet die kleine struik hier vooraan?'

Andrea kwam naast haar staan. 'Hibiscus, die bloeit in augustus. Wat dan mam, dat hij anti-paaps is?' Zoiets had ze ooit opgevangen, oom Richard was zo anti-paaps dat hij hun huis, waar in weerwil van haar vaders spotlust boven elke kamerdeur een kruis hing, niet wenste te betreden; een houding die verklaard werd met een andere hoedanigheid van oom Richard: hij was vrijmetselaar.

'Wat wou je net zeggen, mam, zal ik raden? Twee dingen, een, dat oom Richard anti-paaps is, twee, dat hij vroeger onze zomeruitjes subsidieerde?'

Tot haar grote verrassing barstte haar moeder in lachen uit; ze ging weer op de bank zitten.

'Subsidiëren? Betalen zul je bedoelen. En niet alleen de kaartjes voor het circus en de dierentuin, ook jullie sinterklaascadeautjes, de contributie voor de voetbalclub van Hayo, jullie fietsen en soms zelfs nieuwe schoenen.' Ze pakte een schone zakdoek uit haar tas en wreef haar bril schoon. 'Je vader had geen rooie cent, de helft van zijn salaris ging vanaf zesenveertig naar mejuffrouw Ooms in Davos.'

'Maar dan is er met oom Richard toch niets mis? Nog een kop thee?'

'Niks mis?' Piepende nylons, ze sloeg het ene been over het andere. 'Met oom Richard niks mis? Hij is natuurlijk wel een zonderling en in wezen zeer hautain, hij kijkt op ons neer, wij zijn spitsburgers, nee kind, geen suiker alsjeblieft.' Ze zette haar voeten naast elkaar, pakte haar handtas en haalde er een doosje sacharine uit om haar thee te zoeten.

'Niks mis?' Ze sloeg haar benen weer over elkaar, leunde naar voren om haar kopje op het lage tafeltje te zetten, maar moest daarvoor haar voeten toch weer naast elkaar plaatsen.

Het zonderlinge van oom Richard zat ook in zijn houding tegenover geld. Werken voor je dagelijks brood was in zijn ogen iets voor spitsburgers en armelui, hij renteerde, maar geld kon hem niet schelen, hij speelde ermee. Als speculant had oom Richard een grillige hand, soms was hij stinkend rijk, soms zat hij aan de grond. Om een voorbeeld te noemen: ten tijde van de wereldwijde crisis had hij het gepresteerd om ergens een Stradivarius op te kopen en die had hij kort daarop verspeeld aan de speeltafels van Nice.

Oom Richard: speculant met grillige hand, papenhater en vrijmetselaar, bezoeker van de speeltafels van Nice, bezitter (zij het kortstondig) van een Stradivariusviool. Andrea wipte achterover met haar stoel. Gezien de prikkelende reeks van substantieven die haar moeder voor hem reserveerde kon ze zich voorstellen dat de kloof niet overbrugbaar was geweest. 'Bedankt oom Richard,' zei ze, 'voor de fietsen en de zomeruitjes en de sinterklaascadeautjes en de rest.'

'Dankbaarheid wordt niet geapprecieerd,' antwoordde haar moeder met een smalende trek rond haar mond, 'van geldzaken horen vrouw en kinderen niet op de hoogte te zijn, dat is iets tussen mannen. Trouwens, vanaf de maand dat Francien in Bilthoven kwam wonen was het afgelopen met de extraatjes en toelagen voor jou en Hayo. Op de avond van die ruzie, je weet wel, twee weken voor de grote klap, heeft pa oom Richard opgebeld. Francien kon komen, diezelfde avond nog, het was meteen geregeld en geld speelde geen rol.'

'Wat wou je eigenlijk zeggen, mam, daarnet?'

'Niks.'

'Jawel, nog iets anders over oom Richard.'

Haar moeder schraapte haar keel en overwon haar weerstand. 'Andrea, je weet dat ik geen kwezel ben, dat weet je hè, en voor mij hoeft heus niet iedereen katholiek te zijn, maar leven zonder God of gebod, dat kan nou eenmaal niet. Oom Richard is een overtuigd atheïst.'

De tantes waren niets, dat stak natuurlijk gunstig af bij het atheïsme van oom Richard, al had het duidelijk gevolgen voor hun zedelijk gedrag. Hermien was de vroegere vriendin van Richard, ze hadden op hetzelfde adres gewoond. Thecla was er later bij gekomen.

En toen ze trouwden, Richard dus met Thecla, blééf Hermien. 'Ik bedoel maar,' zei mevrouw Spanjert met iets metaligs in haar stemgeluid, 'die Richard, ik weet het niet, die leeft er maar op los. En in Indië had hij een njai.'

'Njai?'

'Een soort dienstbode daar en tegelijkertijd zijn liefje.' Ze plukte met duim en wijsvinger aan haar onderlip. 'Waarover wilde je me spreken?'

'Over jou mam, over Martha de Heer. En over mijn grootvader, die fokstier uit het donkere zuiden. Leeft die eigenlijk nog?'

'Mijn vader? O jee nee, die is voor de oorlog al overleden; en jullie grootmoeder, mijn moeder dus, vlak na de oorlog.'

Grootvader De Heer was een succesvol zakenman geweest, de vaste leverancier van brandstoffen en bouwmaterialen bij een respectabel aantal kerken, kloosters en scholen in Noord-Brabant. Toen hij trouwde was hij een bemiddeld man. Hij kocht een huis met veertien kamers in het centrum van Den Bosch, want het was zijn wens en zijn ambitie een groot gezin te stichten.

Net als haar oudere broers en zussen ging Martha na haar lagereschooltijd naar kostschool. 'Om ja en amen in het Frans te leren zeggen,' maar ze was een ongezeglijk kind, altijd uit op lol trappen en de regels overtreden. Op haar vijftiende was een en ander geculmineerd in een schorsing voor drie weken omdat ze was betrapt op baden zonder hemd.

Dit ene feit, die schorsing en de bespottelijke reden, was als enige duidelijke verwijzing naar de meisjestijd van Martha in de annalen opgenomen als 'baden met een hemd'. De anekdote ademde een sfeer van ouderwetse stoutigheid, als spotternij op het geloof hoorde hij bij 'het zegenen van honden' en 'het wonder van Lourdes', maar hij was pas in zwang geraakt toen Hayo en Andrea op de middelbare school zaten. Het aantrekkelijke zat hem in de manier waarop hun ouders zich in volle eensgezindheid vrolijk maakten over het raampje in de deur van de badcel, het daardoorheen naar binnen loeren van de non die over de kuisheid van de jonge meisjes waakte, het driehoekige bord met het Oog van God en de tekst 'God ziet U'. Het hemd, dat het allemaal bedekte. 'Niet alleen de borst, ook het kruis,' voegde hun moeder altijd lichtjes blozend toe. Hoewel zij beslist niet overdreven preuts was, kwam 'kruis' in niet-religieuze zin met moeite over haar lippen en dan meestal als aanduiding van de plaats waar broekspijpen samenkomen.

'Baden met een hemd' had altijd een afgesloten vorm gehad. Het was meer zinnebeeld dan waar gebeurd relaas. Zoals een duif de vrede voorstelt, stond 'baden met een hemd' voor het achterlijke katholieke Brabant. Er was steeds in dezelfde emotionele sfeer en in dezelfde bewoordingen over gesproken. Tot op die dinsdag-middag, toen haar moeder – zich om de haverklap be-roepend op haar aversie tegen 'roeren in het troebele verleden' – een stukje van haar doopceel had gelicht, had Andrea zich nooit afgevraagd wat het verzet tegen baden met een hemd voor het leven van haar moeder had bete-kend. In feite markeerde het het einde van Martha's kin-dertijd.

In de periode dat ze op die kostschool zat maakte het bedrijf van haar vader een crisis door die enkele jaren later zou leiden tot het faillissement. Die eerste crisis had voorkomen kunnen worden als haar oude heer maar niet bedrijfsblind was geweest ten aanzien van Sjef, zijn oudste kind, het eerste bewijs van de Godsmoederlijke genade. Sjef was over het paard getild en hij was alleen maar in de zaak gekomen met de bedoeling het kapitaal van zijn vader zo snel mogelijk te verdubbelen. Met de winst had hij gedacht een eigen branche te starten; en toen Thieu, de tweede zoon, in het bedrijf kwam en zijn broer beschuldigde van malversaties met de liquide mid-delen, was het exit Thieu. Daarna had Thieu de familie-banden rigoureus verbroken. Hij had zich in Den Haag gevestigd en was daar een timmerbedrijfje begonnen.

Er school wel enige rechtvaardigheid in het verloop van de gebeurtenissen, want in hetzelfde jaar dat Sjef het zinkende schip van zijn vader verliet om zijn geluk te beproeven in de bierbranche, sleepte Thieu zijn eerst opdracht van de gemeente binnen.

Het is één om naakt te willen baden in de badcel van de nonnen aan wie De Heer zijn brandstoffen levert, en het is twee om als jong meisje je dagen te verdoen met pingelen op de piano en operetteksten instuderen.

Waar het op neerkwam is dat Martha, gezien de problemen met de liquide middelen, na afloop van die schorsing niet terugkeerde naar de kostschool. Van haar vijftiende tot haar negentiende moest ze in haar eentje een kindermeisje en een dienstmeisje vervangen. Op een dag besloot ze weg te lopen. Ze zei letterlijk: 'En zo werd ik een wegloopster', alsof ze dat niet alleen geweest was tijdens het weglopen zelf, maar alle jaren daarna, tot en met het ogenblik waarop ze dit verhaal vertelde. Hoe het weglopen in zijn werk was gegaan, kon ze zich niet herinneren, behalve dat ze het geld voor haar treinkaartje uit de portemonnee van haar moeder had gepakt en in het postkantoor van Den Bosch met Gemma had gebeld, de vrouw van Thieu. Daarmee had ze zich – blijkbaar voorgoed – bij het vijandelijke kamp in Den Haag gevoegd. Gemma en Thieu hadden Martha aangeboden te helpen met het zoeken naar een passende betrekking en haar toegezegd dat ze in afwachting daarvan zolang bij hen mocht logeren.

'Wat voor betrekking?' vroeg Andrea.

'Dienstbode,' antwoordde haar moeder.

Na dat laatste woord begon ze te snikken. Andrea haastte zich naar de keuken voor een glas water. Haar moeder nam het glas met beide handen aan en dronk het in één teug leeg. Waarna ze haar handtas pakte, opstond, naar de gang liep, naar de wc ging, zich in haar jas liet helpen, en vertrok. Een paar tellen later belde ze weer aan omdat ze haar sjaal vergeten was. 'Doe me dit nooit meer aan Andrea,' zei ze terwijl ze de sjaal met een paar schuifspeldjes aan haar kapsel vastzette, 'ik heb destijds een dikke streep gezet onder het verleden en dat wil ik graag zo houden.'

Blijkbaar kende ze de taal een hoofdrol toe in het besturen van haar leven, het was een levensader die ze naar believen af kon knijpen dan wel openhouden naar de tuin van haar ervaringen. Wat daar groeide werd stevig ingeperkt.

Niet praten maar doen.

Waar een wil is is een weg.

Wat geweest is is geweest.

We moeten naar de toekomst kijken.

De gevonden levensfeiten roepen nieuwe vragen op. 'Hou er toch mee op,' zegt Gijs. 'Je zoekt naar een geschiedenis die je omsluit als badwater van de allerheerlijkste temperatuur, geen verschil tussen je naakte lichaam en de wereld om je heen. Dat zoek je en je zult het nooit krijgen.'

De eerste maanden heeft ze geen tijd, de cursus is veel pittiger dan ze aanvankelijk had gedacht, maar in de zomervakantie, als de hibiscus bloeit, pakt ze de draad weer op.

Heleentje Dankaert ligt met wijduit gespreide armpjes en alleen een luier aan in haar ledikant. Een halve meter boven haar opzij gedraaide hoofdje bungelt een kleefstrip voor vliegen en muggen. Het zijn merendeels de vliegen die er na een aantal zoemende rondjes intuinen. Heleentje slaapt.

Eén etage lager zit Andrea op haar draaistoel met een pen in de aanslag. Haar voetzolen zijn week van de warmte, de dichtgeschoven overgordijnen verspreiden een bleekgroene gloed.

'Jouw voorgeschiedenis', schrijft ze in Heleentjes babyboek. 'Of moet ik zeggen prehistorie? In de geschiedenis van ons huisgezin (waarin De Oorlog, die stoottand tegen het verleden, als jaar één geldt) klinken Brabant, Zwitserland en Indië als verzonnen namen, die ik zelfs nu nog, als ik ze ergens hoor of lees, met een schokje herken: dit zijn stukken wereld, echte.'

Is dit de juiste toon?

Ze haalt het blaadje uit de klapper en prikt het op de pin met onbetaalde rekeningen. 'Jouw voorgeschiedenis', schrijft ze op het nieuwe velletje. Het papier bolt op onder haar bezwete hand. Ze bladert terug.

'Dit moet ik voor jou onthouden, schat: die verbouwereerde blik waarmee je naar je eigen vingers kijkt, alsof die kleine tengeltjes al tot je buitenwereld behoren. Soms schaam ik me een beetje tegenover jou, gek hè, voor de wereld die wij hier hebben. Net of ik je ertussen heb genomen.'

Ze staat op en bekijkt zichzelf in de spiegel. Het volgende kwartier trekt ze in hoog tempo kledingstukken aan en uit, het ene is te strak, het andere te zwart, te dik; weer een ander ding te wollig en te tuttig of te wijd of te wit, niet goed, niet goed. Ineens weet ze wat haar te doen staat.

Ze gaat aan haar schrijftafel zitten in beha en onderbroek. 'Beste Francien'.

8

'Lieve Andrea,

Je schrijft dat je verhalen wilt, geen sprookjes en geen praatjes voor de vaak, "verhalen, verhalen", schrijf je, alsof het om eten gaat.

Dit verhaal gaat over geld, ook over liefde, dansen, snikboompjes en cantharellen, maar voornamelijk over geld.

Het begint op een decembermiddag in 1930, op het station van Davos, waar dit luxepaardje en haar reislustige ouders worden opgewacht door de koetsier van Villa Annarösli. Mijn moeder Ilse, tbc-patiënte, is op dat moment aan het einde van haar krachten; ze is de halve aardbol afgereisd om hier in Graubünden, op een hoogte van 1560 meter genezing te vinden. Om dit doel te bereiken moet ze allereerst haar conditie op peil brengen. Gedurende een maand of zes, is haar verteld, zal ze niets anders mogen doen dan rusten en eten, eten en rusten; rusten bij voorkeur in de buitenlucht, eten liefst vijf keer per dag. Daarna kan ze kiezen tussen een leven als kasplant of als gewoon mens.

Ilse heeft haar keuze al gemaakt voor haar vertrek uit de haven van Tandjong Priok: een leven als gewoon mens. Zodra ze op krachten is zal ze zich onderwerpen aan de zogeheten Pheunathorax-behandeling. Deze behandeling heeft als voordeel dat de patiënte uiteindelijk kan genezen en als nadeel dat ze eraan kan overlijden. Uiteraard hebben Paul en Ilse alleen met de eerste mogelijkheid rekening gehouden.

Het gezelschap vertrekt met de arrenslee naar Davos-Dorf en wordt daar verwelkomd door Nina Ooms, een vriendin van Ilse, zelf ex-tbc-patiënte, die na haar genezing in Davos is gebleven om er een privésanatorium annex pension te beginnen. Nina schrikt van de toestand waarin Ilse verkeert; ze roept meteen de aan het huis verbonden arts op, die nog diezelfde avond, vooruitlopend op wat röntgenfoto's en een uitgebreider onderzoek later bevestigen, tot de conclusie komt dat er de eerste tien maanden van een operatie geen sprake kan zijn. Dat is niet de enige domper. Als hij hoort dat het jonge echtpaar na afloop van de behandeling naar Indië denkt terug te keren, raadt hij dit ten stelligste af: het hete, vochtige klimaat zal, ook als de patiënte geneest, een mogelijk fatale aanslag doen op haar gezondheid.

"Situatie Ilse ernstig – terugkeer uitgesloten", telegrafeert Paul de volgende morgen naar Sumatra. "Met spoed max. geldzending gewenst". De geldzending laat niet al te lang op zich wachten, maar het is het laatste bedrag dat Paul van zijn werkgever in Indië krijgt overgemaakt. Vier maanden later schrijft hij een lange brief aan Maatje, zijn oma in Den Haag, met een verzoek om financiële steun. Dat verzoek zal hij enkele malen herhalen, want het verblijf in Davos, de pensionkosten, de intensieve medische verzorging, de operatie, de onvoorziene restposten, dat alles kost handenvol Zwitserse franken. En Paul is niet verzekerd. Ik zei het al: dit verhaal gaat over geld.

Dit las ik in een van de brieven die Paul in die periode aan Maatje heeft geschreven:
"De behandeling begint met een operatie waarbij de zieke long onder plaatselijke verdoving wordt stilgelegd. In deze fase moet het vastzittend slijm worden opgehoest. Vervolgens wordt de long met stikstof volgespoten en zo in een toestand van rust gehouden. Op die manier, dat is de tweede fase maar die kan maanden duren, zullen de aangetaste plekken uiteindelijk genezen."
Ilse komt niet door de eerste fase heen. Ze ligt zich twee dagen uit te putten met dat ophoesten. Paul, die niet bij haar mag omdat de kans bestaat dat ze het dan opgeeft, zit al die tijd in een kamer ernaast. Hij hoort hoe ze voortdurend om hem roept, maar hij kan pas naar haar toe als duidelijk is dat ze het niet redt. "Daar ben je," zucht ze. En dat zijn haar laatste woorden.

Mijn pleegmoeder Nina noemde dit: het drama van Paul en Ilse. Ik was gewend aan drama's met minder prettige details, maar omdat het over mijn vader en mijn moeder ging, was ik boos vanwege het onuitstaanbare einde.
Hoe was het mogelijk dat Paul twee dagen lang braaf was blijven zitten en wat zou er gebeurd zijn als hij een verpleegster of een dokter bewusteloos geslagen had en daarna haar kamer was binnengedrongen? Hij had Ilse moeten vasthouden, strelen, kalmeren, moed inspreken!
Dat Ilse aan tbc was overleden wist ik al, maar niet

hoe. De eerste keer dat Nina me iets over de toedracht vertelde, had ze me meegenomen naar het crematorium; ik kon net lezen. "Ilse Spanjert-Wintsanten", las ik op de groengeverfde blikken doos waarin haar stoffelijke resten werden bewaard, geschilderd in sierlijke gouden letters. Spanjert, zo heette ik ook.

"Je moeder was een leuke vrouw," zei Nina. "Altijd in voor geintjes en ze was dol op dansen en muziek." Bij thuiskomst liet ze me een kiekje zien van Ilse en mij uit de beginperiode in Annarösli. "Ilse en Fransje", stond er met witte inkt onder geschreven. We zitten op de bank achter het huis, allebei kaarsrecht, alsof we een stok hebben ingeslikt. Ik balanceer op het puntje van haar knie, zover mogelijk bij haar vandaan vanwege het besmettingsgevaar en kijk recht in de camera. Ilse doet dat ook, maar met afgewend hoofd, alsof een onzichtbare hand haar dwingt een ander aandachtspunt te kiezen. Wie niet beter weet zal denken dat ze vies van me was.

Paul en Ilse. P en I. Hun initialen werden mij zo nu en dan getoond in hun innige verbondenheid: geschreven, gegrift, uitgesneden – in een fotoalbum met kwastjes en een bruine hobbelige kaft, in mijn zilveren geboortecouvert verstrengeld met mijn F, in de bast van een vijfentwintig meter hoge lariks. Het verhaal van Nina over hun prille, door een standskwestie gedwarsboomde romance had iets Romeo en Julia-achtigs.

"Jij bent geboren in Nederlands-Indië," zei Nina soms op die plechtstatige toon waarmee ze ook het oude Rusland en Brits-Indië zei. Er zat altijd spot in haar verwijzingen naar tsaren en koloniën. Dat had ze van haar

78

vader, begreep ik later, Nina kwam uit een rood nest. Ilse zeker niet. Haar vader was een generaal (buiten dienst tegen de tijd dat de Wintsantens in Den Haag kwamen wonen) die in zijn jonge jaren in Atjeh gevochten had. Haar moeder was de dochter van een sigarenfabrikant, ze leed aan aangezichtspijnen en migraine, maar het schijnt een zonnig mens te zijn geweest totdat ze ontdekte dat haar man er liefjes op nahield; Ilse was het enige kind van deze twee.

Opa en oma Spanjert waren begonnen als kleine neringdoenden die met etenswaren in een karretje door de straten van Semarang trokken. Ze hadden het tij mee, rond de tijd dat Paul geboren werd bouwden ze hun eigen restaurant op de chique Bodjong. Bij de aan het huis verbonden winkel kon men patisserieën krijgen. 's Avonds werd er muziek gemaakt en het kwam regelmatig voor dat een deel van de hal werd vrijgemaakt voor een optreden van een dansgroep of een amateurtoneelgezelschap. Als het over de Indische jeugd van Paul ging, kreeg Nina iets meisjesachtigs, iets geamuseerds over zich, alsof ze erbij geweest was.

In 1913 kwam Paul voor het eerst naar Nederland, met zijn moeder, zijn oma, zijn broer Richard, zijn nichtje Maja, en drie neefjes, onder wie Billy; allen waren zij kind, kleinkind of achterkleinkind van dezelfde onbekende inlandse voormoeder en onderling sterk wisselend van kleur. Het restaurant was voor onbepaalde tijd verpacht aan een Chinees echtpaar. De reis was al een jaar tevoren gepland en stond niet in verband – zoals ik misschien zou denken – met het overlijden, een half jaar eerder, van Pauls vader. Nee, de familie

79

Spanjert was overgekomen om "verindisching" oftewel "verwildering" van de jongere garde tegen te gaan; de hele club ging naar de Dalton-hbs in Den Haag. Maja, die al achttien was en in de eindexamenklas terecht- kwam, was meegekomen om daarna een dansopleiding te volgen.

Ilse ging naar het gymnasium Haganum. Hét bolwerk van de Haagse elite, volgens Nina; zijzelf zat op de Dal- ton, en was een klasgenoot van Richard en Billy. Ze leerde Ilse pas aan het einde van haar middelbareschool- tijd kennen, op de dansschool.

Maja was daar inmiddels werkzaam als lerares, ze leerde de meisjes en jongens de foxtrot dansen en na- tuurlijk een paar walsen, de snelle Weense en de langza- me. Na afloop van de les, uit plezier om de groeiende vriendschap, liet Maja hen kennismaken met de veel vrijere expressies uit de school van Isadora Duncan. Dat moet wel wat geweest zijn getuige de vele sepiakleurige fotografieën in het album met de kwastjes, waarop te zien is hoe Maja, Ilse, Nina en de andere vriendinnen in vederlichte, deels doorzichtige gewaden van onbe- stemde snit om beurten een soort elfendans opvoeren in een met kamerschermen afgescheiden serre. Deze stijl van dansen was niet iets voor paren en ik heb ook nooit gehoord dat mannen zich ermee bezighielden; toch kreeg de romance tussen Paul en Ilse juist dankzij deze sessies sterke impulsen. Ze vonden plaats op de bene- denverdieping van een groot herenhuis op de Suezkade, niet alleen het woonhuis van Maja, ook dat van Paul, Richard en de neven. Ilse was toen zestien, Paul acht- tien.

De idylle ontwikkelde zich buiten de gezichtskring van de Wintsantens. Er was sprake van geparfumeerde briefjes en van een serenade met zangstem en violen, door Paul, Richard en Billy ten gehore gebracht onder het slaapkamerraam van Ilse.

De generaal buiten dienst kwam erachter.

Direct daarop onderging Nina's verhaal een tempowisseling, de gebeurtenissen volgen elkaar op met een vaudeville-achtige bruuskheid.

Ilse krijgt huisarrest. De danslessen worden opgezegd. De generaal geeft zijn dochter te verstaan dat ze zich geen dag langer mag inlaten met die parvenu's uit Indië. Hij dicteert haar een brief, waarin zij haar geliefde zijn congé geeft. Nog geen maand later zit Ilse op een kostschool in Lausanne.

Paul zakt dat jaar voor zijn eindexamen. Als dan bovendien zijn moeder overlijdt (aan een longontsteking) gooit hij het bijltje erbij neer. Hij regelt tegen de wil van Maatje in een betrekking op Sumatra en keert moederziel alleen en zonder hbs-diploma terug naar zijn geboorteland.

Het contact tussen Paul en Ilse is niet lang verbroken geweest. Ze correspondeerden met elkaar. Maar er moest eerst iemand doodgaan – de generaal buiten dienst – voordat ze zich, per post, met elkaar konden verloven. De generaal liet naast een diepbedroefde Brusselse maîtresse een torenhoge schuldenlast achter. Zijn weduwe verkocht het huis in Den Haag en nam haar intrek bij haar oudste zus in Arnhem. Ilse voegde zich bij haar, maar niet voor lang. Twee maanden na haar terugkeer uit Lausanne schreef ze zich in op De Koloniale School voor Meisjes en Vrouwen en liet zich daar klaarstomen voor een leven in de tropen.

Vlak voor mijn vertrek naar Texas stuurde Paul me enkele kopieën van brieven op die hij destijds vanuit Davos naar zijn oma op de Suezkade had gestuurd; flinterdunne velletjes doorslagpapier met vlekkerige carbonletters. Ook een paar vanuit Den Haag, gericht aan Nina. Plus zijn trouwfoto, een grote glimmende groepsfoto van Ilse omringd door bloemen en familie. Rechts van Ilse staat op een kleine ronde salontafel een ingelijste foto van Paul, schuin ervoor – als een soort corpus delicti – een handschoen.

"Het is dus nog waar ook," liet ik me ontvallen toen ik Paul belde om hem te bedanken.

"Wat had je dan gedacht? Dat ik dat verzonnen had?"

Die mogelijkheid, realiseer ik me nu, had ik nooit geheel uitgesloten. De verhalen van Nina over mijn familie in Den Haag, dat trouwen met de handschoen, de enge operatie waar mijn moeder aan bezweken was, de overleden opa's en oma's, de animositeit van oud geld tegenover nieuw geld, het gedans in die gewaden, die blikken doos met mijn achternaam erop; dat alles had geen enkel raakvlak met mijn wat boerse leven in Davos. En al helemaal niet met die verrukkelijke tuin rondom Villa Annarösli, waar ik (zie foto) met Robbie de Wolf en zijn zusje Wilma uit Amsterdam tussen de witte kolen speel – het stikte daar van de koolwitjes, dat is die wolk rondom mijn hoofd. Wat we daar doen, weet ik niet, we mochten niet in die moestuin komen. Verder overal wel en het was geen siertuin zoals je ziet.

Robbie en Wilma waren kinderen van een arts die in het Nederlandse sanatorium werkte. Er waren meer kinderen van Nederlanders die daar werkten en die speelden graag in onze tuin, ook al vanwege de contacten met de gasten van ons pension, in meerderheid Nederlanders, veel kinderen met astma, maar ook tb-patiëntjes. Ik wil maar zeggen: een eenzaam weeskind was ik niet.

Een van de brieven aan Nina is geschreven enkele weken na het overlijden van Ilse. Paul is net terug in Den Haag. Zijn schoonmoeder in Arnhem maakt een diepe depressie door en kan hem niet ontvangen. Richard en de neven zijn inmiddels teruggekeerd naar Indië. Maja, de danseres, is naar Berlijn verhuisd om haar geluk te beproeven in de Duitse filmindustrie. De enige bij wie hij terecht kan is Maatje, zijn zesentachtigjarige oma.

Paul schrijft: "(...) Tot mijn schrik heeft ze de Suezkade tot de nok toe verhuurd. Zelfs de kamer-en-suite is gehalveerd. Aan de straatkant slaapt een oude vriendin van mijn moeder, die ook een beetje voor haar zorgt; zijzelf bewoont het gedeelte aan de tuinkant. Toen ik binnenkwam lag ze, ingeklemd tussen de tuindeuren en een eettafel, languit op haar krossi males en wuifde met een opgevouwen krant. 'Old soldiers never die', riep ze me toe. Hemelsbreed waren we niet meer dan zes meter van elkaar verwijderd, maar ik moest links, rechts, achteruit en vooruit om de taboeretjes, de boekenmolen en de tafeltjes met snuisterijen heen om bij haar te komen. 'Welkom thuis, Pam,' zei ze, 'je moet het rommelkamertje maar nemen.'

Nina, ik zeg het je zonder omhaal van woorden: ik

heb niets meer. Van Richard, die al geruime tijd met de verkoop van het restaurant bezig is, ontving ik vorige week een telegram. Door de internationale geldcrisis is het restaurant steeds minder waard geworden, hij moet het voor een schrikbarend laag bedrag van de hand doen. Ik mag van geluk spreken als ik met het deel dat mij toekomt mijn rekening bij jou kan voldoen. En dan denk ik nog maar niet aan het bedrag dat Maatje me het afgelopen jaar geleend heeft, puttend, dat wist ik niet, uit de waarde van dit pand op de Suezkade; het grootste deel van haar huurinkomsten gaat naar de bank. Zodra de verkoop van het restaurant op Bodjong is geregeld, zal ik mijn schulden aflossen."

Eén velletje, zonder groet. Het is duidelijk dat de brief hier niet eindigde.

Nina heeft het me nooit met zo veel woorden gezegd, maar afgaande op haar verhalen over Paul als bobsleeër en Paul als organisator van bridgedrives en schaakcompetities gedurende het jaar van Ilses Liegekur, heeft hij in de periode voorafgaand aan de operatie nog volop in de roes van welgesteldheid geleefd. Hij werd pas wakker in dat rommelkamertje op de Suezkade.

Kort na die noodkreet uit Den Haag heeft Nina Paul beloofd dat ze zolang voor mij zou zorgen. En ze regelde iets met hem voor die schulden. Paul was haar enorm dankbaar. Hij schreef terug dat hij niet alleen een vaste baan ging zoeken, maar ook "een moeder voor mijn kind".

Zowel het een als het ander nam nogal wat tijd in beslag.

9

Je ziet, we zijn twee weken verder. Toen ik je lange brief met bijgevoegde vragenlijst ontving, nam ik me voor je niet vraag na vraag, maar met een verhaal aus einem Guss te antwoorden, niet beseffend dat ik geconfronteerd zou worden met een overvloed aan tamelijk verwarrende en soms ook pijnlijke herinneringen.

Martha.

Ik weet nog wat voor weer het was toen ik haar naam voor het eerst hoorde. Sinds enkele maanden zat ik op de Kindergarten. Mijn school lag op een berghelling. Tegen de tijd dat ik naar huis moest, stak er een hevige sneeuwstorm op en de weg omhoog was in een mum van tijd onbegaanbaar. We zaten met zijn allen ingesloten. O, die heerlijke paniek rondom die storm, in mijn ogen niet gevaarlijk want de reddingswerkers waren onderweg. Daar kwamen ze. Hup, jassen aan, mutsen op, wanten aan. Toen ik eenmaal buiten stond in die brullende storm werd ik zowat van de grond getild. We moesten in groepjes bij elkaar gaan staan en elkaar een hand geven. De redders liepen achterstevoren voor ons uit, als een schild, en loodsten ons naar beneden. We werden afgeleverd bij de brouwerij, waar Nina me stond op te wachten. Ze had gehuild, dat zag ik wel, en ze was stil. Ik nam zonder meer aan dat haar stemming met de sneeuwstorm te maken had en bezwoer haar in alle toonaarden dat ik geen moment bang geweest was. "Groot nieuws," riep ze toen we nauwelijks binnen waren, "binnenkort heb je een stiefmoeder, Fransje. Ze heet Martha." En toen barstte ze in tranen uit.

Het was de bedoeling dat we die zomer naar Den Haag zouden reizen om kennis te maken. "Proefstomen," zei Nina.

Andrea, even een Seitensprung. Er zijn een paar brieven en er zijn massa's foto's, maar het overgrote deel van wat je tot nog toe hebt gelezen komt van Nina. Ik put dus niet uit voor jou onverdachte bron en of het allemaal klopt mag je betwijfelen. Maar waar geen mens zich in vergist en op de allerlaatste plaats een kind van vijf, is de liefde die haar wordt toegedragen. Tot op de dag dat ik Nina handwringend bij die bierbrouwerij zag staan, was het geen moment bij me opgekomen dat zij er ooit niet zou zijn. Nina had me leren lopen en me onze moedertaal bijgebracht, ze had me geknuffeld, aangekleed, te eten gegeven, leren schaatsen, leren zingen. En als ik over die weisse Hexe had gedroomd mocht ik bij haar in bed slapen.

Ach, die weisse Hexe. Ineens diende ze zich aan.

Ze was een levend schaakstuk dat bij nacht en ontij de Schiahorn af kwam suizen en zich als een ongeleid projectiel met grote snelheid kriskras door het dal verplaatste. Wie met haar in botsing kwam was in één tel in de hemel of de hel. "Pass mal auf sonst kommt die weisse Hexe." Ik denk dat ze een creatie van Maria was, ons

86

Oostenrijkse dienstmeisje van katholieken huize. Zo hebben jij en ik wat het geloof betreft dan toch iets gemeenschappelijks.

In de weken voorafgaand aan dat proefstomen heeft Nina een paar halfslachtige pogingen gedaan me te winnen voor het idee van opgroeien in een echt gezin. Zonder haar, welteverstaan. Ik was kwaad, ik wilde geen echt gezin, waar was dat goed voor? De kinderen met wie ik speelde hadden vaak een van hun ouders bij zich, of een tante, of een kindermeisje. Wat dat betreft verkeerde bijna iedereen om me heen in een uitzonderingspositie; in ieder geval tijdelijk, maar die tijdelijkheid had voor mij iets permanents, ik maakte niet anders mee dan dat de mensen kwamen en gingen. Nina, een handjevol verpleeghulpen, Maria, en ikzelf waren de blijvers.

Officieel was Nina zoiets als mijn nurse. Mijn verblijfsvergunning was destijds om gezondheidsredenen afgegeven vanwege de tb van Ilse die ze op mij kon hebben overgedragen. Ik was inmiddels vijf. En gezond. Nina wist dat ze geen wettelijke aanspraken op mij kon laten gelden, dus dat ze geprobeerd heeft me op een verhuizing naar Nederland voor te bereiden vind ik achteraf heel logisch. Wat niet wegneemt dat ik jouw vraag naar haar bereidwilligheid om mij aan mijn "eigen familie" af te staan met een ondubbelzinnig nee moet beantwoorden. Nee, ze wilde mij niet kwijt, dat liet ze duidelijk aan me merken. Hier komt nog bij dat zij niet de aangewezen vrouw was om wie dan ook te laten inzien dat leven in een echt gezin iets benijdenswaardigs was. Nina was een uitgesproken vrijgevochten type, ze

87

bond zich aan niemand – behalve aan mij. Waarmee ik niet wil zeggen dat ze ongevoelig was voor het andere geslacht.

Ik herinner me Wim, een lange, ietwat teruggetrokken man; hij at soms met ons mee en las me voor. Wim verdween weer uit ons leven. Ik herinner me Ivan uit Vilnius, die een onuitwisbare indruk op me heeft gemaakt door de elegante manier waarop hij Nina soms begroette, met een handkus. Ook hij verdween weer uit ons leven. Net als ene Roelof uit Naarden, met onnatuurlijk rode wangen. Net als Paul? vraag je je nu af. Ik heb het na de oorlog een keer aan Nina gevraagd en het antwoord is nee.

Paul is na het overlijden van Ilse één keer in Davos geweest, in de zomer voorafgaand aan die brief. Hij had me Grimm cadeau gedaan en las er met graagte uit voor. De taal was nogal raar voor me en ik snapte er niet veel van, toch vond ik dat voorlezen reuze spannend. Hij zette allerlei stemmen op: donderend als een reus, slepend en traag als het over onschuldige prinsesjes ging, hees en sissend bij heksen, slangen en valse stiefmoeders. Valse stiefmoeders, daar stikt het van in Grimm. Achteraf gezien is het een raar cadeau voor iemand die op zoek is 'naar een moeder voor zijn kind', maar ik denk niet dat hij of iemand anders daar toen bij stilstond.

'Binnenkort heb je een stiefmoeder, Fransje.'

Maria, ons dienstmeisje, deed er nog een schepje bovenop door steeds wanneer ik ongehoorzaam was in mijn oor te sissen: "Pass mal auf, sonst schickt Nina dich nach deiner Stiefmutter in Holland."

Kort en goed, het succes van onze missie kon alleen in de mislukking zitten.

"Ze zegt niks. Nina, waarom zegt ze niks?"
Nina: "Vraag het haar, Paul."
Gelach.
We logeerden bij Richard in Bilthoven. (Nog geen Thecla toen, wel Hermien, als huishoudster, hoewel ze ook toen al min of meer bij het gezin hoorde en zich even chaotisch gedroeg als degene wiens huishouden ze verzorgde.) Oom Richard was, ruim een jaar eerder al, teruggekeerd uit Soerabaya, maar het leek of dat pas enkele weken terug was gebeurd; het huis stond vol met koffers in diverse formaten, waaronder grote bruine hutkoffers waar je op kon zitten; de etiketten en de labels zaten er nog op.

Paul logeerde daar vaak, want er was plenty ruimte (woord van Hermien, plenty dit en plenty dat). Hij deed alle moeite om me op mijn gemak te stellen. Ik mocht best in de tuin spelen als ik dat wilde, ik mocht Pam tegen hem zeggen als ik dat leuk vond. Maatje noemde hem zo. We gingen haar bezoeken op de Suezkade in Den Haag. Paul zei: "Nog even Fransje en je groeit je overgrootoma boven het hoofd." Maatje knikte en lachte, kneep me in mijn wang en lachte weer. Ze leek op een porseleinen theepotje zoals ze daar zat in die met geborduurde kussens opgevulde fauteuil. "Eet wat kind," zei ze steeds, "je moet goed eten hoor." Het huis rook vreemd. Iemand bood me kleine loempiaatjes aan, maar ik hoefde ze niet op te eten.

We gingen van het ene naar het andere adres. Mijn

89

familie. Nina's familie. Nergens kinderen. En overal hetzelfde. Hoe oud ik was. Dat ik op die en die leek. Of ik mijn tong verloren had. Zoenen. Aaitjes over mijn haren. Prikjes in mijn wang. Ik voelde me een apparaatje dat het niet goed deed. En gek. Geen Martha. Er werd niet over haar gerept, met geen woord.

Op een hete middag stapten we weer eens op de trein, zonder Paul deze keer, en bezochten oma Wintsanten. Hoewel Nina haar verteld had dat ik gewoon Nederlands sprak, sprak ze me aan in het Duits en om redenen die we nooit hebben kunnen achterhalen noemde ze me Lotte.

"Ach du, Lotte, warum sagst du nichts, komm mal hèr."

Ik kreeg een pop van haar die me heel blij aankeek vanuit haar met papieren kantwerk afgezette doos. Ik ging ermee op de grond zitten en begon haar voorzichtig uit te kleden. "Tand, Tand," riep oma ineens met een hoge onwaarschijnlijk schelle stem. Ze probeerde op te staan vanuit haar stoel. "Tand, Tand, ist das Gebilde vom Menschenhand."

"Wat is Tand?" vroeg ik aan Nina terwijl we half rennend door de lange gangen met ontklede pop en al de kliniek verlieten, want dat was het, een kliniek.

"Niets Muis, rommel," prevelde Nina. "Oma is niet helemaal goed, er is iets niet in orde in haar hoofd."

Evengoed had ik wel die mooie blije pop met haar lange harde wimpers. Coba. Want ooit was oma Wintsanten jong geweest, een mooi meisje, met mooie kleren aan. Coba.

De laatste middag staat me helder voor de geest. Paul

en ik gaan getweeën afscheid nemen van Maatje. Na het bezoek stappen we op de tram naar Scheveningen. Het waait met vlagen, over het donkere gedeelte van het strand vliegen witte zandsluiers, windzand, zandmist, gekrijs en gejoel van meeuwen, Paul in zijn kantoorkleren en met een hoed op, zo ver over zijn oren getrokken dat de bovenkant vreemd opbolt.

We gaan niet in de zee. We maken een hoge gladde berg van zand met een pad dat vanaf de top spiraalsgewijs naar beneden loopt. Tot mijn verrassing tovert Paul een pingpongballetje uit zijn broekzak en laat het rollen; het verdwijnt en verschijnt, verdwijnt en verschijnt. Op het eind van de middag graven we een tunnel door de berg, het balletje gaat er dwars doorheen. Ten slotte geven we elkaar een hand. "Schudden," roept Paul, "harder schudden, het is maar zand." We schudden elkaar de hand totdat de berg geen berg meer is.

Bij het afscheid nemen, de volgende dag op het station, smoort hij me zowat, ineens staan we met zijn drieen te grienen.

Geen verhuizing naar Nederland dus, geen Martha, geen echt gezin. Nina zweeg erover. Ik vroeg niets. Pas toen we in Landquart waren overgestapt op het smalspoor naar Davos zei ze iets wat ik altijd heb onthouden omdat het zo gewichtig klonk. "Je kunt op mij rekenen, Francien, zo lang als ik leef, dat weet je toch hè?" Ik schoof wat dichter naar haar toe, begroef mijn neus in haar jas en graasde het landschap af naar punten van herkenning: weilanden, koeien, bochten, tunnels, het station van Laret, weer een bocht, weer een tunnel, Davos-Wolfgang, een lariksbos, het meer, het kerkje van Davos-Dorf. Thuis.

Toch zouden we niet lang daarna Annarösli verlaten. Ik weet niet precies waarom. Liep het patiëntenaantal terug? Kan best, tijdens de crisisjaren is half Davos failliet gegaan. Om welke reden ook, Nina stopte ermee, ze pachtte een sportpension, Der neue Ski, een oude villa met een grote hal beneden en een enorm souterrain dat als opslag diende voor ski's en toebehoren. De eerste winter zaten we meteen vol.

Het seizoen daarop konden we er zelf haast niet meer bij. Ik sliep met Maria op de badkamer, Nina op een divan in de hal. Veel Duitse en Engelse jongens. Ikzelf kreeg skiles op school en er werden wedstrijden gehouden. Verbeeld ik me dit of is het waar dat ik bij een van die wedstrijden eerste was geworden? De hoeveelheid bekers, medailles, oorkonden, diploma's en rozetten die bij zulke evenementen werd uitgedeeld was zo groot dat je dat wel eens vergat. Thuis was ik nummer één, ik werd door een paar van die knullen op de schouders genomen en door de hal van het pension gedragen.

Op 1 september 1939 viel Hitler Polen binnen en het was gedaan met die aardige jongens uit Engeland en Duitsland.

De grote hotels in Davos sloten algauw hun poorten. Veel kleintjes bleven aanvankelijk nog open, Der neue Ski zelfs de hele oorlog door. Wat viel er te sluiten? We woonden daar. En Nina had een werkvergunning als pensionhoudster, ander werk mocht ze niet doen.

In die eerste oorlogswinter viel er zegge en schrijve

één gast te verwelkomen, een jongen uit Yorkshire. Het jaar daarop kwam er niemand. Maria werd ontslagen en de centrale verwarming ging uit.

10

Tot nu toe heb ik het onderwerp kunnen vermijden, maar zo langzamerhand komen de herinneringen van dit luxepaardje in contact met het in stukjes knippen van die smetteloos witte beddensprei. Straks kom ik hier op terug, maar ik wil je alvast laten weten dat de bijna sprookjesachtige stilte die – in jouw oren – intrad op de dag na mijn vertrek naar Bilthoven mij heel veel zegt over de verbeeldingskracht van kleine kinderen. Wat je bijna mist, is een beschrijving van de manier waarop jullie huis omwoekerd raakte met een doornhaag – of anders dat van oom Richard en de tantes wel.

Andrea, in werkelijkheid was die zwijgtaal zoals jij het noemt al volop in ontwikkeling. Jij en Hayo wisten immers niet dat ik bestond!

En zo is er veel meer dat ik naar het rijk der fabelen moet verwijzen. Zoals het koninginnedagbezoek. Het is niet waar dat Paul en ik elkaar pas toen terugzagen. Niet zo vaak, maar toch zeker halfjaarlijks ontmoetten we elkaar in diverse horecagelegenheden in Den Haag, meestal in het gezelschap van Richard, Thecla en Hermien. Paul kwam met de tram. Als hij amechtig was nam hij een taxi. Martha wist hiervan, zijzelf ging trouwens ook wel eens naar Thieu en Gemma.

Eigenaardig is dit alles wel. Het familie-uitje van de één streepte dat van de ander door – zoals bij echtparen die elkaar een beetje overspel toestaan en dat voor hun kinderen niet willen weten.

Wat zal ik je nog meer vertellen over mijn jaren in dat rijke, niet door de oorlog aangeraakte Zwitserland? Dat Nina een flinke voorraad zuurkool in de kelder had? Dat we in het gezelschap van een mevrouw uit Haarlem cantharellen zochten? Dat we ze aan draadjes regen, die cantharellen; dat we ze droogden, weckten, stoofden, bakten, grilden? Wat kan je nog meer doen met cantharellen? O ja, opeten. Moet ik je vertellen dat we houthakten en dennenappels raapten? Dat ik op Heilige Abend – als voordelige variatie op de grote kerstboom die we elk jaar kochten op het pleintje bij het katholieke kerkje – beteuterd naar drie pietepeuterige, zelf omgekapte kerstboompjes zat te kijken? Nina noemde ze de Snikboompjes. Snikken, dat was wat ik de halve avond deed, omdat we zuurkool aten, zuurkool met spek, wat we al zo lang deden, en omdat het ernaar uitzag dat we de komende maanden niets anders zouden eten dan zuurkool en spek. En cantharellen niet te vergeten.

Die mevrouw uit Haarlem was afhankelijk van geld uit Nederland en sinds het geldverkeer tussen de beide landen stagneerde ontving ze voorschotten uit Bern – een of andere bankgarantieregeling. Ze spoorde Nina aan iets dergelijks met Paul te regelen, maar zij was koppig op het standpunt blijven staan dat ze haar eigen boontjes wilde doppen. "Welke boontjes?" zei ik steeds. "Waren er maar boontjes!"

Waarom Nina tot in het absurde met dat eigen boontjes doppen bezig was gebleven, werd me na de oorlog pas duidelijk. En zoals steeds met die verhalen rondom Paul zat achter elk verhaal een ander verhaal. "Het is ingewikkeld," zei Nina. "Eerst moet ik iets vertellen over die zomer van het proefstomen."

Dat Martha in geen velden of wegen te bekennen was geweest, kwam simpelweg doordat ze de relatie had verbroken. Paul had er niet veel over gezegd, alleen dat het om geloofsredenen was en Nina was er verder niet op ingegaan, ze was allang blij dat het opgroeien in een echt gezin op de lange baan geschoven was.

Enfin. Paul leefde van de steun, weliswaar verdiende hij aardig bij met lesgeven (viool- en bridgelessen bij mensen thuis) maar zijn financiële positie was ronduit belabberd. Nina was toen een soort gentlemen's agreement met hem aangegaan. Zij zou voor mij zorgen op voorwaarde dat ik, in ieder geval tot aan mijn middelbare schooltijd, in Davos zou blijven.

"Een pak van mijn hart!" had Paul uitgeroepen. "Verreweg de beste oplossing!" Hij was Nina om de hals gevallen. "Kon ik maar iets voor jou doen, Nina, kon ik maar iets terugdoen." Zo dankbaar en blij had hij zich getoond en daarom viel het haar zo bitter tegen dat ze de winter daarop een brief ontving waaruit bleek dat hij hun afspraak wilde terugdraaien. Het was weer goed tussen hem en Martha, ze hadden zich verloofd, hij was in de leer bij een pastoor, ze waren ijverig aan het sparen voor een uitzet. Over twee jaar kon er getrouwd worden en dan moest ik naar Nederland komen. "Langer mogen we beslist niet wachten," had Martha gezegd, "anders is het voor Francien te moeilijk om te wennen aan haar tweede moeder."

Je kunt raden hoe Nina reageerde. Ze stuurde een telegram: "Afspraak is afspraak." Paul reageerde niet. Ze schreef een brief op poten en liet die aangetekend bezorgen. Paul antwoordde niet. Nina liet het er niet bij zitten, ze stuurde hem een rekening met rente als herinnering aan de tijd dat Ilse, hij en ik gedrieën een gezin vormden en bij haar in de kost waren. Paul hield zich muisstil. "Dat begreep ik best," zei Nina, "hij had een schuldbekentenis getekend en alles, reken maar dat het om een stevig bedrag ging."

Het briefcontact hield op, alle contact hield op, en zo bleef het. Op 10 mei 1940 viel Duitsland Nederland binnen en kort daarop ontving Nina een telegram van Paul èn Martha met de smeekbede mij toch vooral in het veilige, neutrale Zwitserland te houden.

Snap je waarom Nina zo nodig haar eigen boontjes moest doppen? Als ze Paul en Martha had laten weten hoe penibel onze situatie was, waren ze misschien op de gedachte gekomen zoiets als een gezinshereniging te organiseren. In dat stadium van de oorlog was dat nog mogelijk geweest.

Terug naar de cantharellen en de zuurkool. Het werd Nüjahr en ons geld raakte op. Nina ging met iemand van de Gmeinderat praten om steun te vragen, een Canossa-gang voor haar, maar niet zonder resultaat. Ze werd doorverwezen naar het Rode Kruis en dat bood op korte termijn soelaas. We kregen een schenking of een lening, geld voor levensmiddelen in ieder geval.

De winter daarop kon de centrale verwarming aan want een kantoor van de Gebirgsinfanterie – wij noemden ze de sneeuwsoldaten vanwege hun witte winteruitrusting – werd bij ons gestationeerd. Deze plaatsing was een hele eer voor een buitenlandse en waarschijnlijk te danken aan het gemeentebestuur. Nina was ervoor gescreend.

Het seizoen daarna verhuurden we drie kamers aan orkestleden van een nachtclub. En een paar weken later kwam een familie uit Zürich de benedenetage bewonen. De pa, een geoloog, had de opdracht een sneeuwlaboratorium op te zetten. Ze bleven tot juli en zouden de volgende winter terugkomen. Zo sappelden we voort op eigen kracht, maar bijna alle inkomsten gingen naar de eigenaar. De pacht, ook de achterstallige, moest nu eenmaal afgedragen worden.

Het zal jou en Hayo wel niet zijn verteld: dat ik het laatste oorlogsjaar grotendeels liggend heb doorgebracht.

Zoals gezegd, officieel verbleef ik in Zwitserland om gezondheidsredenen. Om de zoveel jaar kreeg ik een oproep om me bij het Nederlands Sanatorium te laten controleren. Zo ook in de lente van vierenveertig. Ik had wel eens buikpijn, dat is waar, maar dat de arts die me controleerde aan een ontstoken blindedarm dacht verbaasde me. Dat was het ook niet, het was buik-tb.

Davos "deed" in astma en long-tb, voor een goede behandeling van mijn soort tb moest ik naar Franstalig Zwitserland. Goed. Zo was het. Het prinsesje moest dus in haar eentje op vakantie, ik bespaar je de beschrijving van haar ervaringen met heimwee.

Op het einde van de oorlog was ik een lange uit haar krachten gegroeide tiener die op een balkon in Leysin verbijsterd in *Sie und Er* en de *Schweize Illustrierte* lag te bladeren; met foto's van concentratiekampen en platgebombardeerde Duitse steden. Ik had toen twee vriendinnen: Hanna, een meisje uit Tel Aviv en Rosetta uit Milaan.

We gaven die tijdschriften aan elkaar door, ik geloof dat we er weinig over spraken. Hanna prees zichzelf gelukkig dat haar familie in Tel Aviv woonde en niet in West-Europa. Ik prees mezelf gelukkig dat ik niet Rosetta of Hanna heette. Hanna kreeg nooit bezoek, geen post, niets. Wat kreeg ze wel? Ik weet het niet, ze had ons, wij hadden elkaar. De kokkin, die Duitstalig was, noemde ons die Lausmädel, wat zoiets als donderstenen betekent. Ja, we hadden lol met elkaar, maar Rosetta was er bijzonder slecht aan toe en zou een halfjaar later overlijden.

Nina kwam in de zomer van '45 een paar keer op bezoek, er viel heel veel uit te wisselen en te bespreken. Ze ontving elke week brieven. Zowel Maatje als oma Wintsanten waren in de hongerwinter gestorven. Maatje op de gezegende leeftijd van negenennegentig jaar.

Er was ook een brief gekomen van oom Richard en de tantes, ze waren in april '40 naar Nice vertrokken en zaten daar nog steeds. Zij wisten te melden dat Billy (neef Billy ja, van tante Frida) aan de Birma-Siamspoorlijn had moeten werken en was gestorven aan een of andere enge tropische ziekte. (Dat laatste bleek achteraf niet waar te zijn zoals jij ook weet.)

Er waren verwarrende berichten over Nina's vader die een halfjaar spoorloos was geweest; Nina was bang dat hij zijn activiteiten voor het verzet met de dood had moeten bekopen, wat gelukkig niet het geval was; hij had een halfjaar ondergedoken gezeten op het Groningse platteland.

Het meest gespitst, om niet te zeggen dat ik er knap zenuwachtig van werd, was ik op de verhalen over Paul en Martha: het eigen boontjes doppen, de geldtoestanden. Om mijn behandeling te bekostigen had Nina geld geleend van die geoloog uit Zürich en dat moest natuurlijk worden terugbetaald. Daarom – en om het vervolg van mijn behandeling veilig te stellen – had Nina het gewaagd aan Paul te vragen van nu af aan maandelijks bij te dragen aan mijn onderhoud. Dit keer was er snel gereageerd. Martha had gezegd: "Ze moet naar Nederland komen, Zwitserland is veel te duur."

Ik keek naar de gezwollen aders in Nina's hals, ze zocht iets in haar tas.

"En nu heb je een broertje en een zusje," zei ze opeens. Ze liet een fotootje zien van Hayo en jou op de schoot van jullie moeder. Jij was net geboren, een babyhoofdje verscholen in een bundeltje katoen, Hayo was een peuter met sluik donker haar, hoogopgeschoren aan de zijkanten. Er was ook een foto bij van Paul en Martha uit de tijd dat ze elkaar net kenden, genomen in het huis van oom Thieu en tante Gemma.

Gezinshereniging.

"Geen sprake van," zei Nina, "je bent ziek."

Maar ik ging heel goed vooruit.

Andrea, ik wil het je wel zeggen nu: ik prees mezelf gelukkig dat ik daar lag met mijn buiktb, op dat balkon in Leysin, in dat rijke, niet door de oorlog aangeraakte Zwitserland. En tussen die gezinshereniging en mij een flink stuk kapotgeschoten West-Europa.

Paul mocht wat mij betreft de ietwat wazige, aimabele figuur blijven die zich voor de oorlog – zij het niet veel langer dan een later eindeloos gedachte zomermiddag – had ontpopt als, jazeker, mijn vader.

Het beeld van die nette en detonerende outfit op het strand van Scheveningen staat scherper dan een foto op mijn netvlies gegrift: kantoorpak en hoed tussen het veel luchtiger geklede publiek. Ik zag Paul terug in de zomer van '46 en kon mijn ogen niet geloven. Dat kleine broodmagere en dodelijk vermoeide mannetje in dat malle zwerverspak, was dat hem nou? Ik moest door mijn knieën zakken om zijn raspende zoenen in ontvangst te nemen. Dat pak – van het Volksherstel geloof ik, met een jasje dat tot aan zijn kin toe sloot en een broek met smalle, veel te korte pijpen – was het enige dat hij bij zich had. Het was prachtig weer. Ik zal nooit vergeten hoe hij die volgende ochtend aan het ontbijt verscheen: uitgerust en gladgeschoren en gekleed in een stralend wit tenniskostuum dat hij van een van onze gasten had geleend.

Ik had vakantie. We wandelden een paar keer rond het meer van Davos. Op een van die wandelingen, ik stond juist naar de rode stippen op de rug van een forel te wijzen, legde Paul zijn hand op mijn schouder en zei: "Het is goed, blijf jij maar hier, het is goed." Iets verderop in het water sprong er eentje omhoog om vliegjes te vangen, plons, plons, daarna viel er een diepe stilte tussen ons.

"Blijf jij maar hier." De hele week was het onderwerp vermeden; die ene keer niet meegerekend, toen we voor de verandering niet in de eetzaal hadden ontbeten, maar in onze eigen keuken.

"Francien moet nog twee keer op controle in Leysin," had Nina gezegd terwijl ze melk in onze glazen schonk. "Met dat alles is ze flink achterop geraakt, maar ik heb gedaan gekregen dat ze in de derde kan beginnen. Wat vind je?"

Paul keek uit het raam: "We zien wel, we zien wel."

Hij pakte zijn glas melk, verslikte zich en liet het op de vloer in gruzelementen vallen. Schijnbaar met volle interesse keek hij toe hoe Nina melk en gruzelementen opruimde, om even later, na het hernemen van de ontbijtroutine oprecht verwonderd tegen haar te zeggen: "Waar is mijn melk nou gebleven?"

Ik was aan de kant gaan zitten. Paul stond afwezig naar het glinsterende wateroppervlak te staren. Ik keek naar zijn afgetrapte schoenen onder die witte broekspijpen. "Kan het wel?" piepte ik benauwd, als de dood dat ik hem niet goed had verstaan.

"Het kan niet anders, ik mag jou hier niet weghalen, we zien wel."

Ik bleef.

We zien wel, we zien wel.

Uiteindelijk moest ik de derde klas doubleren.

Na mijn eindexamen werd Nina ernstig ziek.

Samen met Renate zorgde ik voor haar en runde Der

neue Ski. Van dat runnen moet je je niet al te veel voorstellen, we hadden al een aantal jaren geen contanten
om de zaak te onderhouden en het aantal gasten liep elk
seizoen terug.

Op het laatst woog Nina vijfendertig kilo. Ze was
klein van stuk, als Renate de lakens verwisselde legde ik
haar arm om mijn nek en droeg haar. Ik liep met haar
naar het raam en daarna door de kamer, ze had de nei-
ging alles aan te raken, ratste met haar brosse nagels
langs de oneffenheden op de wanden, streek met haar
vingertoppen over mijn kleren en mijn wangen. Dit
ronddragen waar ze elke dag naar uitzag werkte op haar
lachspieren. "Als een kind," zei ze een keer.

"Nee," zei ik, "mijn moeder."

11

Twee maanden na Nina's overlijden stond ik op de stoep van jullie huis de gepoetste deurbel te bewonderen. Ik zou – zo had Paul het met mij afgesproken – tot en met de kerstvakantie komen logeren. In die maanden zou ik een kamer zoeken in Leiden. Ik zou Nederlands gaan studeren op de universiteit. Ik zou eenmaal in de maand een weekend naar huis komen.

Hartkwaal of niet, Paul zat aan een stuk door te paffen. Misschien had ik daardoor gealarmeerd moeten zijn. Of anders door die twee aandoenlijke tekeningen op de schoorsteenmantel, een van Hayo, voorstellende hemzelf als voetballer: "Welkom thuis zusje"; en een van jouw hand, voorstellend een clown: "Welkom thuis zusje".

Zusje. Ik was bijna tweeëntwintig.

Vanuit de tuin klonk het gekrijs van meeuwen. "Meeuwen!" riep ik, "je kunt echt merken dat jullie dicht bij de zee wonen." Op een balkon aan de overkant stond een klein jochie, zijn hoofd kwam net boven de leuning uit, hij gooide stukken brood in de lucht, halve en zelfs hele boterhammen, de meeuwen vlogen af en aan, vingen het brood, vielen elkaar aan in de lucht en vochten erom.

"Ons huis is van nu af aan ook jouw huis," zei Martha. En toen ging de bel en kwamen jullie binnen, mijn broertje en mijn zusje. Jullie keken naar me als naar een nog niet uitgepakt cadeau, zo gretig en verwachtingsvol. Misschien vind je me een ijskonijn maar ik kreeg het daar Spaans benauwd van, ik was blij toen Martha met mij naar boven wilde.

Boven het bed hing een portret van Ilse. Ik kende het alleen op briefkaartformaat, zo'n geretoucheerde foto uit de oude tijd met de naam van de studio eronder: Ilse en profil met deemoedig gebogen hoofd en een wrong in haar nek. Deze uitvergroting, met een passe-partout eromheen, gevat in een lijst en met glas ervoor, had iets angstaanjagends. Dat zei ik niet.

"Mooi," zei ik. En dat zei ik ook over de andere foto's, trapsgewijs gerangschikt boven het grenen ladenkastje naast de wastafel, schoolfoto's van jou en Hayo, en een van Paul en Martha met de gezichten dicht tegen elkaar. Mooi, mooi. Martha was zo trots op die kamer dat ik alles wat daar stond en hing en lag ongeacht mijn eigen smaak met een bezwerend "mooi" begroette.

"Je mag het gerust zeggen hoor," zei Martha, "als bepaalde dingen je niet aanstaan."

Ik keek naar het bed. Die spierwitte gehaakte sprei, afhangend tot op de grond, met die hoge bult van de twee hoofdkussens eronder, stond me enorm tegen. Net een doodsbed. Wist ik veel dat ze hem eigenhandig had gemaakt. Stel je de volgende dialoog voor:

Francien: "Wel een beetje een tuttending, hè."

Martha prikte met haar wijsvinger in de gaatjes en zei niets.

Francien:"Ik gebruik de bovendeken wel zolang, dan blijft die sprei mooi wit. Wordt dit Andrea's kamer?"

Martha: "Hoezo Andrea's kamer?"

Francien: "Na de kerst, als ik in Leiden zit."

Martha: "Hoezo na de kerst als je in Leiden zit? Je blijft toch bij ons, je blijft toch in Den Haag, je gaat hier toch een baantje zoeken, je gaat toch naar de avondschool voor dat Nederlands?"

Ik wilde naar beneden, ik vond dat Paul erbij moest zijn. Maar Martha was in paniek en vuurde de ene na de andere vraag op me af. Waarom dacht ik dat die kamer zo was ingericht, met die foto van Ilse, met dat bureautje erbij, met die boekenplanken en die plantenstandaard? Was ik niet blij dat ik een eigen kamer kreeg en geen kostgeld hoefde te betalen?

Francien: "Maar zo is het niet afgesproken."

Martha: "Wat zijn de plannen volgens jou?"

De woorden daarover kwamen uit mijn mond, ik vertelde haar eenvoudig wat de plannen waren. Terwijl ik sprak, zat Martha met haar armen over elkaar en keek strak naar de rotan plantenhouder bij het raam. Toen ik uitgesproken was bleef ze zo zitten, bewegingloos op die witte divan, catatonisch. Om haar verstarring te doorbreken, legde ik mijn hand op haar bovenbeen. Ze liet het toe en ontdooide na een poosje.

Martha: "Weet jij wel wat Paul verdient? Weet jij wel dat tussen '46 en heden de helft van zijn salaris naar Zwitserland is gegaan?" Ik ging bij het raam staan, waarna ze zich definitief losmaakte uit haar verstarring en aan de opsomming begon van alles wat jij en Hayo niet hadden kunnen doen en ik wel, skieën, schaatsen, et cetera. Ik was verwend tot in mijn tenen. Mejuffrouw Ooms had Paul destijds zodanig op zijn gemoed gewerkt dat hij het niet had aangedurfd mij van dat schooltje af te halen.

Na de oorlog had mejuffrouw Ooms het gepresteerd een gewone blindedarmontsteking op te blazen tot een ziekte die ze nu maar liever niet bij name noemde; alleen maar om mij niet te hoeven afstaan aan mijn bloedeigen vader. Het speet haar, heus het speet haar dat ik mijn pleegmoeder verloren had en dat ik mijn terugkeer (sic) naar mijn familie (sic) en mijn vaderland (sic) ruim tweeënhalf jaar had uitgesteld om voor haar te zorgen sierde mij. Alleen kon zij er met haar pet niet bij dat ik het had aangedurfd om aan Paul te vragen nog een paar jaar door te gaan met die toelage – met mijn einddiploma op zak nota bene! Het kwam er dus op neer dat haar gezin had moeten meebetalen aan de ziektekosten van mijn pleegmoeder. Nogmaals, het speet haar, et cetera.

Ik stond sprakeloos naar Martha's bewegende mond te kijken.

En hoe moest ik me de bijdrage van Paul voorstellen die daar beneden, de ene sigaret met de andere aanstekend, op de uitkomst van ons treffen zat te wachten? Wat bezielde hem? Dacht hij soms dat ik met het overschrijden van de drempel van jullie voordeur als bij toverslag was opgenomen in de orde van betekenissen die daarachter heerste en vanzelf zou inzien dat onze afspraken er niet thuishoorden?

Ik denk dat hij dat dacht.

En ik denk dat Martha al die jaren buiten de beslissingen is gehouden en een heel verkeerde voorstelling van zaken voorgeschoteld had gekregen. En ik vermoed dat Paul haar keer op keer heeft voorgespiegeld dat ik dan en dan zou komen, waardoor zij steeds opnieuw voor niets in de startblokken stond om haar taak als stiefmoeder op zich te nemen. En dat hij, als ze wilde weten wat de plannen waren, met het gezicht van iemand die op zee uitkijkt altijd weer "we zien wel" mompelde.

Na mijn vertrek naar Bilthoven hebben Paul en ik hier inderdaad geen woord meer aan vuilgemaakt. Paul taalde er niet naar, ik evenmin. Wat mij betreft – ik moet eerlijk zijn – bleef de kloof tussen mij en jullie huisgezin bestaan. Eindelijk verlost van die gezinshereniging.

Tenslotte, Andrea: dat geld het leitmotiv van mijn verhaal aan jou moest zijn, wil niet zeggen dat ik geen gewicht toeken aan wat voor jou in het geding is: de harteloosheid van het niet-vertellen. Jij schreef: "Mijn vader is een sfinx". Mythologie is niet mijn fort, maar het verhaal over de sfinx heeft me altijd geboeid omdat het als geheel een raadsel is.

De sfinx gaf raadsels op. Wie de oplossing niet had, werd gedood. Oedipus wist het goede antwoord en de sfinx werd gedood. Ergo: de sfinx is het raadsel zelf. (Iets dergelijks gebeurt in Rompelsteeltje met het raden van de naam.)

Praat met je vader, praat met de sfinx. En praat met tante Gemma en oom Thieu. Veel liefs, Francien.'

DEEL TWEE

De vesting

'Wij werden uit het Paradijs verdreven, maar verwoest werd het niet.' FRANZ KAFKA

12

Het sneeuwt, en terwijl de laatste trams helverlicht maar zonder passagiers richting remise rijden en Den Haag behoedzaam toegedekt de nacht in zweeft, maakt Hayo Spanjert aanstalten een brief naar huis te schrijven. Hij gaat op de rand van zijn bed zitten, zijn tafel is een kastdeur die op houten kratten is gelegd; hij drukt het puntje van zijn vulpen in het roze vloeiblad van zijn schrijfblok en bekijkt het resultaat; hij tekent een gezicht met bril en stoppelbaard, een hart, een boom, een spoetnik en een bliksemflits.

'Lieve moeder, het is nacht en het sneeuwt. Mevrouw Larue, mijn nieuwe hospita (haar vloer is mijn plafond), heeft de radio net uitgezet en haar huiskamer gelucht. Ik hoorde haar op het terras, nou ja, terras, een vlonder is het meer, waarvan ik vanuit een piepklein kelderraam de ronde paaltjes en de onderkant kan zien; waar ze liep, vielen hoopjes sneeuw tussen de planken door op het stukje grond waar ik op uitkijk. "Chico, Chico," riep ze. Zo heet haar kat. Hij kwam niet. Nu zijn de tuindeuren weer dicht. Ze is naar bed gegaan, naar boven.

Mam, u heeft het denk ik al van Andrea gehoord: dat ik nogal in de schulden zit en bij lange na niet uitkom met mijn toelage. Om de huurkosten te drukken heb ik mijn kamer in Leiden opgezegd. Sinds vanmiddag zit ik weer in Den Haag, in een kelder op stand nota bene, mijn hospita noemt het: het souterrain.'

Hayo schraapt zijn keel, hij is al een halve dag met zichzelf alleen. 'Sou, sou, sou,' zegt hij met getuite lippen, en 'terrain, terrain, terrain,' met een diepe neusklank die wordt opgetild vanuit de huig. Dit zijn de eerste woorden die hij hardop uitspreekt in zijn nieuwe woning, hij gaat er nog even mee door: terrain, terrain, terrain...

Op de korte wand rechts van hem hangt een ingelijste prent van een arend op een rots, zo'n ding met een glimmend, fijn geribbeld oppervlak waarmee een filmisch effect verkregen wordt. Om te kunnen zien hoe de arend zijn vleugels spreidt moet hij zijn bovenlijf opzij buigen, om te zien hoe de arend zich van de rots verheft moet hij op het voeteneind gaan liggen.

Hayo legt zijn vulpen neer en beweegt zijn bovenlijf een paar keer omhoog en omlaag op het verende matras, daarna strekt hij zijn benen onder het tafelblad en neemt de pen weer ter hand.

'Maar dit is niet bepaald a room with a view. Ik heb hier, behalve als ik slaap natuurlijk, steeds twee daglichtlampen branden, waardoor alles om me heen er op elk uur hetzelfde uitziet. Voor het sanitair moet ik buitenom, via de tuin naar de bijkeuken. Maar het is wel in orde zo, ik ben allang blij dat ik hier zolang terecht kan, voor een habbekrats. Mevrouw Larue heeft me een elektrisch kacheltje geleend, dat is het enige waarvoor ik moet betalen.'

Helemaal niet in orde!

Hij smijt zijn vulpen neer. Inktspatten op het tafel-blad. De pen rolt door tot bijna aan de rand, ligt even stil en begint terug te rollen; door de eerste bolle drup-pel inkt, de tweede, de pen schrijft een boogje inktstip-pen terwijl hij naar de hoek van het tafelblad rolt. Het is de vulpen die hij van zijn vader heeft gekregen. Na het vervullen van zijn dienstplicht was hij met die vulpen en een weekendtas vol gestreken overhemden, Kwattarepen en pakjes Saroma-instantpudding naar Leiden vertrok-ken om medicijnen te studeren. Een halfzacht B-vak, meer zat er helaas niet in, had ten slotte ook zijn vader toegegeven.

De fenollucht in de snijkamer was hem slecht beko-men en daarom was hij op de rechtenstudie overgestapt. Aan het einde van dat jaar had hij de propedeuse niet gehaald en de herkansing evenmin. (Hoewel die – als hij Barbara niet ontmoet had – een fluitje van een cent had moeten zijn.) Hij volgt het spoor van de pen maar grijpt niet in.

'Verantwoordelijkheden Hayo, jij kent je verantwoor-delijkheden niet!' hoort hij zijn vader donderen, 'als dit zo doorgaat mag je retenkrabber worden bij de Haagse Tramweg Maatschappij! Of classificeerder in de Rotter-damse haven!'

De vulpen ligt op de grond.

Hayo komt overeind en raapt hem op. De punt is nog heel, een teken dat geluk toch mogelijk is.

Naast het schilderij met de arend hangt een kapstok met een spiegel eraan vast; met een dikke laag vuil erop en het weer erin. Hij trekt de boord van zijn mouw over de muis van zijn hand en veegt zijn gezicht te voorschijn, niet het gezicht dat hij dag in dag uit zonder enige reserve aan de buitenwereld presenteert; niet het gezicht waarvan Barbara heeft gezegd dat het wel iets weg heeft van de Tony uit *West Side Story*; met dit gezicht zit hij nooit op de fiets. Hij strijkt met beide wijsvingers over zijn wenkbrauwen en geeft zichzelf een paar klapjes op de ongeschoren wangen. Dat brengt hem terug in zijn gezicht, een bleek en zeer vermoeid gezicht, dat wel, maar dat is niet verwonderlijk na een verhuizing en anderhalf etmaal zonder slaap.

Onder de kapstok staat een kartonnen doos. Hij hurkt ernaast en tilt er een blauwe badtas uit. In de badtas zit een bruine papieren zak en daarin een fles Ballantine's. Hij neemt een paar slokken: 'Aaaah...' De fles gaat terug in de zak in de tas in de doos.

'Jij drinkt te veel,' beknort hij zichzelf. 'Roken en drinken, dat kun jij goed en studeren ho maar. Jij verspeelt je kansen, dat is het hele eieren eten.' Hij veert overeind, trekt een pakje Samson uit zijn broekzak en rolt een sigaret.

'Of kantoorpik op een ministerie pa,' zegt hij tot de rokende gestalte in de spiegel, 'ik kan natuurlijk ook kantoorpik worden, net als jij.'

Toen hij nog thuis woonde, stond hij vaak op de wc te roken; bovenraampje open, sigaret tussen duim en wijsvinger, bij elke trek de brede en toch afgemeten armgebaren van een vuurspuwer. 'Daarin was je tenminste ambitieus.' Hij kijkt naar zijn pratende lippen. 'Jij bent altijd ambitieus in dingen die er niet toe doen. Maar goed, we zien het nog even aan met jou.'

13

Vrijdag, poetsdag. Mevrouw Spanjert doet de huiskamer en de gang; ze zet de stoelen in de boenwas en tilt ze op de tafel. In de gang rolt ze de lange kokosloper op, eerst met de hand en daarna met de voet. Ze trapt hem voor zich uit, zet hem op een uitgevouwen krant en pakt hem rondom vast. Doordat ze de opgerolde loper een paar keer optilt en zwaar neer laat komen valt het zand eruit.

'Ziezo,' zegt ze. Ze vouwt de krant voorzichtig dicht en gooit hem in de asemmer. Het granito wordt gebezemd, gesopt, gedweild, de loper weer uitgerold en geschuierd met blik en veger. 'Ziezo.' Daarna is de huiskamer weer aan de beurt. De ramen aan de tuinkant zijn uitgesproken smerig en in de vitrages hangt de bittere geur van de Golden Fiction-sigaretten die haar echtgenoot er de afgelopen week doorheen heeft gejaagd, ze wapperen al buiten aan de waslijn, met een kwartiertje zullen ze droog zijn.

Hayo zit tussen de stoelen op de tafel en laat zijn benen bengelen. Op het dressoir ligt het boodschappenlijstje klaar. Zijn moeder heeft de brief van school ernaast gelegd. Op het boodschappenlijstje staan vrolijke woorden: zelfrijzend bakmeel, Omo, jonge kaas, poedersuiker en rozijnen. In de brief van school staat dat Hayo

Spanjert afgelopen woensdagmiddag bij de bunker aan het einde van de tankmuur is gesignaleerd in het gezelschap van een groepje Scheveningse jongens. Zijn meester, meneer Engelhart, die in die buurt zijn hond uitliet, ontmoette daar een kennis die eveneens zijn hond uitliet. De naam Spanjert was gevallen, waarop de kennis, 'de heer De Heer', onthult de brief, 'een familielid van u naar mij tijdens ons gesprek ter ore kwam', zich bezorgd getoond had, 'daar het in de buurt van bunkers zeer gevaarlijk spelen is'. Ook staat er: 'Uw zoon kijkt liever uit het raam dan dat hij oplet en hij geeft zich al te gemakkelijk over aan dromerijen. Indien de cijfers voor rekenen en taal niet snel omhooggaan, is de kans aanwezig dat hij op het einde van het jaar blijft zitten'.

Blijven zitten, zegt de brief, nu al, met de kerst. Gezichtsverlies. Een schande. Zeker voor de zoon van een vader die er – ondanks diens zwakke gezondheid, de maag, het hart, de bloeddruk en de suikerspiegel – dag in dag uit mee bezig is een behoorlijk inkomen te vergaren ter wille van de toekomst van zijn kinderen.

De heer De Heer.

Oom Thieu dus. Oom Thieu, de NSB'er. Maar de twee families zijn niet *on speaking terms*, spiekingturms, spiekingturms.

Zijn moeder had de brief aan hem voorgelezen en gezegd: 'Om vijf uur komt je vader thuis.' Dat is het laatste. Daarna heeft ze niets meer gezegd. Ze heeft haar handen van hem af getrokken en wil niets toevoegen aan wat hem nog te wachten staat. Als vader thuiskomt zal ze hem de brief overhandigen en de straf door hem laten bepalen. Hieruit maakt hij op dat zijn straf behoorlijk zwaar zal zijn, en de tirade hevig, minstens zo hevig als een paar maanden geleden toen hij ver na zessen thuisgekomen was, zijn jaszakken vol zand, ze voelden aan als zachte kussentjes. Zich niet bewust van het late tijdstip, ongevoelig voor de donkere blikken van sommige voorbijgangers, was hij over straat gegaan met een wiebelende Duitse helm op zijn hoofd, met overwinnaarstrots had hij zijn trofee naar huis gedragen, erop rekenend dat wat hij op zijn hoofd had – de betekenis ervan, de echtheid, de herkomst – hem in de ogen van zijn vader tot een flinke vent zou maken.

Maar hij was toegebruld.

'Dat moffending wil ik op jouw hoofd niet zien! Wat denk je dat je bent, jij bedplasser, een oorlogsheld? Probeer jij eerst maar eens de lakens droog te houden, mannetje! En leer klokkijken! En breng dat ding terug naar de plaats waar het vandaan komt, onmiddellijk!'

De opdracht had hem naar Duindorp in Scheveningen moeten voeren, naar Bennie Vrolijk. De huiskamer bij Bennie thuis had in de oorlog voor de moffen dienst gedaan als paardenstal, in het schuurtje daar hadden de oorlogsspullen voor het oprapen gelegen.

'Duindorp? Gaat mijn zoon om met schorem uit Duindorp? Wat doet die vader?'

'Visser.'

Hij had vagelijk het gevoel dat visser, als tegenwicht voor schorem, op zijn plaats was. (Inderdaad was dat een beroep waar meneer Spanjert – als er bijvoorbeeld over gesproken werd tijdens het jaarlijkse en tamelijk obligate radiopraatje ter gelegenheid van vlaggetjesdag – niets op tegen had. Vissers, schoenmakers, paardenslagers, timmerlieden, tuinders en boeren konden rekenen op zijn vaders achting. Dit waren beoefenaars van nuttige en eerlijke beroepen. Hoe bedroevend anders was het gesteld met 'onze' onderwijzers, kapelaans, nonnen, maatschappelijk werksters en ambtenaren, die niet wisten waar ze over praatten en nog minder waar ze feitelijk mee bezig waren. Het laatste slag, de ambtenaren, was het slag waar hijzelf toe behoorde, maar hij keek erop neer.)

De helm was in hun eigen kolenhok beland en onlangs meegegeven aan een ijzerboer.

'Wat denk je dat je bent, jij bedplasser, een oorlogsheld?'

Deze woorden hadden hem diep gekwetst, niet als messen die slechts plaatselijk het vlees verwonden, maar als een vonnis dat men staande moet aanhoren.

Hayo laat zijn benen bengelen. Hij vertelt zichzelf dat in de brief op het dressoir geschreven staat dat Hayo Spanjert zich die middag om klokslag vijf dient te melden in de duinen ter hoogte van de tweede bunker aan de noordkant van Het Zwarte Pad. Zwembroek in opgerolde badhanddoek? Hoeft niet. Zakgeld, boterhammen, zakdoek? Heeft geen zin. Hayo Spanjert moet zich daar alleen maar melden om ge-exe-cu-teerd te worden.

Omdat hij met een Duitse helm rondliep?

Nee, dat is de reden niet, trouwens die helm is in dit verhaal beslist niet Duits. Hij is van een yankee of een Engelse piloot, nee, van een soldaat, een gewone Engelse soldaat. Doet er niet toe, het is oorlog en het gaat erom dat dit een executie is.

Een executie is geen straf voor hem persoonlijk. Hayo Spanjert is onschuldig en het thuisfront weet dat.

Wachten. Wachten. Wachten.

Waar denkt hij aan? Waaraan moet je denken als je laatste uur geslagen heeft? Het wachten zelf is niets. Hij kijkt tussen de stoelpoten door naar de wekker op de schoorsteenmantel, tikke, tikke, tikke. Hij wiegt zijn bovenlijf naar links en naar rechts, de tijd tikt nee, nee is horizontaal, horizontaal is liggen, dan ben je er geweest. Tikke, tikke, hij knikt, dat kun je ook doen, met je hoofd knikken, dan tikt de tijd weer ja. Ja is verticaal, rechtop. Maakt het uit of de tijd ja of nee tikt? Wat is tijd nou helemaal? Tijd is geen ding, tijd is niet de wekker, tijd is geen plek, tijd is niet hier of daar, tijd is tijd.

Twee minuten voor vijf. Hij springt van de tafel en gaat naar het dressoir om de brief nog eens van dichtbij te bekijken. Maar op datzelfde ogenblik hoort hij de sleutel in het voordeurslot en daarom doet hij nu iets anders. Hij zoent de brief en legt hem op het boodschappenlijstje, de geschreven kanten liggen op elkaar, het allerergste op het vrolijke, de woorden kussen elkaar: Poedersuiker kust Executie, Jonge kaas kust Het Zwarte Pad.

Terwijl de vader in de gang zijn jas uitdoet, naar de wc gaat, zijn haren kamt, loopt de zoon met stijve passen naar zijn moeder toe: kiezen op elkaar, schouders naar achteren, kin omhoog. Hij gaat haar zijn afscheidskus geven, hij is geen stoute jongen meer, geen bedplasser, dat moet ze aan hem zien, hij is een kerel, een soldaat, en hij moet zich melden bij het executiepeloton.

'Mam.'

Ze zit geknield bij de salontafel en kijkt aandachtig naar de witte kringen op het hout, zo kijkt een dokter naar de wond van zijn patiënt, het zijn jeneverkringen.

'Mam.'

Ze kijkt hem vluchtig aan. 'Ja jong, jammer, heel erg jammer, maar ik kan er ook niets aan doen.' Ze pakt een kurk uit de poetsmand, doet er een lik boenwas op en begint als een bezetene te boenen. Ze beseft het niet, hierna zal ze nooit meer naar hem kunnen kijken, zoals ze gisteren nog deed, door de halvemaantjes van haar bril, om te zien of er geen chocoladepasta op zijn wang zit. De kurk piept, de witte kringen worden zo intensief bewerkt dat het gepiep de kamer vult. Het zijn jammer-kringen. Hij slikt en slikt, ineens is het een probleem waar hij zijn tong moet laten, zijn tong is te groot, hij past niet in het lauwwarme bedje tussen de tandenhek-ken. 'Nooit achterover klappen,' heeft Wilfried van de overkant gezegd, 'anders stik je in je eigen tong.'

Ineens barst hij in snikken uit. 'Ik wil niet mam. Ik wil niet dood!'

'Dood? Maar kerel!' Haar armen om hem heen, zijn natte wang tegen het naar groene zeep en boenwas geu-rende plastron van haar schort, de gekartelde tong...

Het eigenaardige is dat hem niets te binnen wil schieten over zijn vaders binnenkomst, hij herinnert zich alleen dat zijn moeders hand een tijdje met zijn achterhoofd in contact bleef, op de verkeerde manier, misschien dat de vaart van het stoffen en vegen nog in haar zat, zo voelde het, alsof zijn haar geboend werd. Vrij plotseling hield de liefkozing op.

'Ik stop de brief voorlopig weg,' fluisterde ze. 'Droog je tranen, je weet hoe pappie over jankende jongens denkt.'

'Hij heet niet pappie, hij heet pa,' trachtte hij zichzelf te rehabiliteren.

Zijn moeder pakte de brief van het dressoir en vouwde hem op, niet in vieren, maar in achten. Zo paste hij in het voeringzakje van haar handtas, bij het fotootje van vader, waarop te zien is hoe deze bij een met vlaggetjes versierde tent in de Scheveningse binnenhaven een harinkje verorbert, zo uit de lucht, met zijn hoofd achterover. Andrea en hij staan ernaar te kijken, ook met de hoofden achterover. Deze foto is door haarzelf gemaakt, het is een van die zeldzame kiekjes waarop haar man met zijn kinderen staat afgebeeld. Daarom heet het ook het fotootje van vader.

In datzelfde vakje kwam kort daarop een tweede foto. Daarop is te zien hoe zijn moeder en oom Thieu bij de opengeklapte oven hurken en naar de braadslee wijzen, het kerstkonijn ligt daarin te sudderen. Ach, ach, konijntje, maar ze kijken er niet naar, ze kijken naar de fotograaf, naar vader, lachend en omhoog.

De foto van het kerstkonijn is gemaakt kort na de brief van school. Gek, de dag daarna geen tirade over slechte cijfers en geen straf. Alleen: 'We zien het even aan met jou, maar denk erom, geen escapades naar de duinen meer.' Waarop een bijna liefdevolle preek over de gevaren van soldaatje spelen in de duinen was gevolgd.

'Welke gevaren?'

'Landmijnen.'

Zoveel jaren na de oorlog was zijn vader met die landmijnen aan komen zetten. En hij had gezegd: 'Wees blij dat oom Thieu tenminste zo fatsoenlijk is geweest om aan de bel te trekken.'

Zijn vader had het woord fatsoenlijk in de mond genomen in verband met oom Thieu, maar hij moest ervoor naar buiten kijken. Niet te geloven. Fatsoenlijk. Maar aan alles was te zien dat hij toneelspeelde! Aan de manier waarop hij zijn gezicht afwendde, aan zijn handen, met de palmen naar boven, aan de overdreven toon waarop hij 'tenminste' zei, met een zware nadruk op 'minste', waarbij hij zijn hoofd even boog. Daarna had hij de radio aangezet en een sigaret opgestoken.

Oom Thieu fatsoenlijk. De charlatan, de patjepeeër. Oom Thieu die toen het erop aankwam ijskoud had gezegd: 'Liever geen familie op mijn lip.' In de beelden die hij zich bij deze woorden had voorgesteld – hij ziet ze nog, hij is ze altijd blijven zien zoals ze tot hem kwamen in zijn kindertijd – is oom Thieu een soort Stromboli, een grote zware man met woeste ogen en zwarte bakkebaarden die wijdbeens voor zijn huisdeur staat. Hij maakt een stopteken zoals verkeersagenten doen. Bij de stoeprand een man en een vrouw, haveloze zwervers, op straat gezet door de bezetter, hun schamele bezittingen op een handkar: dekens en matrassen en een omgekeerde tafel en een zevengeitjesklok. Tante Gemma en het neefje Victor, een baby nog, blijven vaag, het zijn schaduwvlekken die de wijdbeense in de lenden steunen. Andrea daarentegen (die nog niet eens geboren was!) is altijd hinderlijk aanwezig door met witte strikjes in haar vlechten vrolijk rond te springen in die kar.

Charlatan, patjepeeër, woorden die zijn vader overdreven duidelijk articulerend uitsprak, ook in moeders
bijzijn. Maar zij stond niet alles toe, zinnetjes als 'ze
hadden jullie in de tankgracht moeten gooien' en het
'NSB'er' bestreed zij te vuur en te zwaard. Enkele maanden terug was een ruzie daarover zo hoog opgelopen
dat ze vader vierkant buiten de deur had gezet. 'Een
ommetje maken en nadenken!' Ze had hem in zijn jas
geholpen, zijn hoed aangereikt en met kleine, haast
stompende pasjes op de hielen gezeten naar de voordeur.

14

Zijn moeder had de brief van school ingezet voor een poging tot hernieuwd contact met haar broer. De twee gezinnen waren bij elkaar gekomen op tweede kerstdag. Halverwege de middag stopte er een zwarte Citroën voor de deur. Oom Thieu was een kleine, gedrongen man met donkere hoekige wenkbrauwen en een vierkant gezicht. Hij geurde naar Old Spice. 'Ha, Hayo-boy!' Bijna aardig die oom Thieu, hij stelde al bij binnenkomst een ritje met de wagen in het vooruitzicht. Tante Gemma was een forse blozende dame met vriendelijke blauwe ogen en een kapsel als een helm; ze droeg haar boezem als een tafel voor zich uit. Victor, dat zag je meteen, was verlegen, een verlegen sproetenkop met vuurrode flaporen, in het lamplicht zag je de adertjes. In zijn herinnering speelt dit bezoek zich af achter gesloten schuifdeuren.

Schuifdeurentheater: de volwassenen laten zich niet zien, maar maken hun aanwezigheid kenbaar door middel van geluiden. Het openen en sluiten van de servieskast. Getinkel van glazen. Gelach. Geroep. Tante Gemma die 'dat moet de gastheer doen' roept (een fles wijn ontkurken). Vader die gehoorzaamt onder handgeklap (de flessen wijn zijn door de gasten meegebracht).

De kinderen zitten aan de grote tafel in het midden van de kamer, het licht van de lamp valt als een mantel om hen heen. Ze zijn zich terdege bewust van het belang dat de volwassenen aan het welslagen van deze bijeenkomst hechten en doen hun uiterste best hun steentje bij te dragen door zoet met elkaar te spelen en geen aandacht op te eisen. Hayo en Victor spelen halma, bijna zwijgend. Andrea, aan de korte kant, doet alsof ze leest. Het is een boek met een idioot lange titel: *Leloe doet aan een wedstrijd mee, zal ze het winnen ja of nee.*

Hayo: 'Niks voor een kind dat net in de tweede zit. Wat moet je met dat ouderwetse boek?'

Andrea: 'Ik lees dit boek om ermee aan mammie te denken.'

Hayo: 'Je moet niet zeggen mammie, dat is kinderachtig.'

Andrea: 'Mammie, mammie, mammie, mammie.'

Hayo: 'Mij best, mammie dan. Waar gaat het over?'

Andrea: 'Over Leloe die aan een huishoudwedstrijd meedoet.'

Steeds als Hayo naar Andrea kijkt, ziet hij dat ze over de rand van de kaft naar Victor zit te loeren.

Victor lijkt zijn aandacht te verdelen tussen de halmapionnen en zijn onzichtbare ouders. Als er hard gelachen wordt mompelt hij ouwelijk: 'Nou, nou, die gaan tekeer.' Of: 'Ze amuseren zich wel hè?'

Dat doen ze inderdaad. Als de derde fles ontkurkt is, begint tante Gemma te zingen:

Adieu, mein kleiner Gardeoffizier
Adieu, adieu...

Moeder vult aan:

Und vergiß mich nicht
Und vergiß mich nicht ...

Victor beweegt zijn hoofd op de maat van het lied en glimlacht vertederd. Andrea staat op en komt naast Victor staan. 'Jij bent onze neef,' zegt ze. Victor buigt zich over het bord en brengt zijn laatste gele halmapion naar het domein van zijn tegenstander. 'Gewonnen,' zegt hij dan.

Hij had alles al gedaan met Victor, halma gespeeld, gedamd, gekaart en nog was het geen etenstijd. Zijn moeder stak haar hoofd tussen de schuifdeuren: 'Waarom gaan jullie niet eens de kerststal in de kerk bekijken?'

De kerststal in de kerk bekijken. Daar zou hij uit zichzelf nooit op gekomen zijn. Het hoofd van oom Thieu verscheen net boven dat van zijn moeder, hij leunde met zijn kin op haar haar: 'Toe maar kinders, we zitten nog te praten.' Waar bleef het ritje met de wagen? Hij durfde het eerst niet te vragen, later, toen ze met hun jassen bezig waren, wel.

'De volgende keer, jong, je oom heeft te diep in het glaasje gekeken,' riep tante Gemma van achter de deur.

Andrea bleef liever bij haar mammie.

Het was koud die dag. Victor droeg een donkerblauwe bivakmuts, zijn oren zaten daarin opgesloten, net handvatten.

Hayo: 'Je moet gleufjes knippen in die muts, dan kan je vliegen met je oren, net zoals Jumbo het vliegende olifantje.'

Victor: 'Niet flauw doen man. Waar is die kerk van jullie?'

Hun parochiekerk, een noodkerk, lag op een braakliggend terrein, het was een flink eind lopen. En dat terwijl er een auto voor hun huisdeur stond.

Hayo: 'De echte kerk is in de oorlog gesloopt, wist je dat? Plus een heleboel huizen, dat hebben de moffen gedaan, de tankgracht liep hier, dat wist je zeker niet hè? En wist je dat jouw pa een NSB'er is geweest?' (Welke geest was in hem gevaren? Ze hadden zich de hele middag met elkaar vermaakt, geen wanklank was gevallen.)

Victor lachte schaapachtig. Zei die afkorting hem niets? Dan was het geen belediging geweest.

Hayo: 'Jouw vader heulde met de vijand. Heulen, weet je wat dat is?'

Victor: 'Ik heul. Hij heult. Zij hebben geheuld.'

Hayo: 'Hij is een patjepeeër en een charlatan, maar daar kan jij natuurlijk niets aan doen.'

'Hij is een patjepeeër en een charlatan,' herhaalde Victor. Hij zei het op een toon alsof het twee beroepen waren; zijn onderlip stak iets naar voren. 'Jouw moeder is een hoer,' voegde hij er op dezelfde toon aan toe, 'wist je dat?'

Hayo: 'Beter een hoer dan een NSB'er.'

Victor: 'Een hoer is erger. En jouw vader is een hufter en een trassibek.'

Hoer was hetzelfde als lichte vrouw. Dat wist hij van Wilfried. Een lichte vrouw is iemand die haar lichaam tegen betaling laat liefkozen, had de meester van Wilfried aan zijn klas verteld. Wilfried had toen willen weten hoeveel ze daarvoor moest betalen, waarop die meester de klep van zijn lessenaar een paar keer open en dicht had gedaan. 'De man betaalt.' Klep open. 'Maar wat hij liefkoost is haar lichaam, niet haar wezen.' Klep dicht.

Trassibek? Victor had evengoed deurbel kunnen zeggen, of lampenkap. Hij keek naar Victors gezicht. 'Trassibek?'

Victor: 'Jouw pa is toch Indisch?'

Hayo had nooit gemerkt dat trassi iets was om op af te geven. Het hoorde bij de rijsttafel, hij wist dat rijsttafel maken Indisch was en dat Indisch eten iets bijzonders was. Daar had je het dan mee gehad.

Hayo: 'Indisch? Welnee, hij is in Indië geboren en hij heeft er gewoond, maar mijn pa is toch geen bruine? Bedoel je soms dat hij een bruine is? Moet je op je bek?'

Victor: 'Zullen we hiermee kappen?'

Hayo: 'Goed lamstraal.'

In de kerk was geen levende ziel te bekennen, hier en daar flikkerden kaarsen, maar de grote lichten waren uit. Victor gedroeg zich als een misdienaar. Hij liep via het middenpad naar voren, knielde, boog zijn hoofd, keek naar het tabernakel, sloeg een kruis, stond weer op en liep pas daarna naar de kerststal achter in de kerk. Het kribje was een rieten mand, gevuld met houtwol, daarin lag een Jezuskind met knieën zo groot als tennisballen zijn ouders de les te lezen.

Hayo (met schallende stem): 'Moet je zien, in een

fruitmand, wat een kanjer hè.' De kerkdeur sloeg.

Victor: 'Ssst, er is iemand.'

Ze keken rond maar zagen niemand. In de donker-bruine pij van de Jozef had een gluiperd ter hoogte van de bil een inscriptie gekrast, met het hoekje van een scheermesje of zoiets, heel klein. 'Bil' stond daar in hoekige letters.

Hayo (weer hard): 'Bil. Zie je dat? Hier staat "bil".'

Victor: 'Stil.'

Ze hingen nog wat rond tussen de banken, maar er was niets aan daar in die kerk.

Toen ze weer buiten stonden ontdekte hij te laat dat het intussen was gaan ijzelen. Zijn voeten gleden onder hem vandaan en daar lag hij. Zijn hand zinderde en hij had een fikse schaafwond op zijn knie. Vanuit de kerk kwamen snelle voetstappen, de deur, de stem van oom Thieu: 'Dat komt ervan, menneke, als ge spot mee onzenlievenheer...' God, wat praatte die man Brabants. Waar was Victor? Hij probeerde te gaan zitten en tuurde in het donker. Victor schuifelde richting Citroën, het lichtje binnenin was aan, hij zag de blonde helm van tante Gemma naast de bestuurdersplaats. Verdomme, hoe zat het dan nou met die glaasjes? Er kwam een rode schemer voor zijn ogen. 'Hé Victor, waar ga je heen?'

Victor draaide zich om: 'Erg?!'

Erg genoeg voor bloed, maar oom Thieu bekommerde zich niet om de verwondingen van zijn neefje. Ineens werd hij ruw bij zijn kraag gepakt en omhoog gehesen. 'Hedde gij nooit geleerd oe te gedragen in Gods huis?' De knoop van zijn jas snoerde zijn keel dicht. Waarom? Waarom? Vanwege dat bil? Toen hij weer op zijn voeten stond spuwde hij de woorden met kracht naar buiten: 'Vuile NSB'er! Ze hadden jullie in de tankgracht moeten gooien!'

Oom Thieu liet een vreemd geluidje horen, iets als 'kek', daarna deed hij een stap opzij en haalde uit, zijn arm wiekte door de lucht, Hayo dook eronderdoor en bijna sierlijk ging zijn oom nu onderuit – het gebeurde uiterst traag, er was tijd genoeg om te denken: dit is mijn oom Thieu, hij is een mannetje, een popje, als ik hem doormidden snijd komt er houtwol. Er was tijd genoeg om de strapatsen van dit mannetje op zijn gemak te bekijken.

Ook van de scène daarna stonden de beelden hem nog voor de geest, hij kon ze als het ware ongeschonden opdiepen uit zijn geheugen en bekijken en opnieuw beoordelen. Achteraf was het misschien wel komisch zoals oom Thieu, eenmaal overeind gekrabbeld, zich voetje voor voetje richting auto voortbewoog, tegemoet getreden (eveneens voetje voor voetje) door vrouw en zoon, die zich halverwege het glibberige traject links en rechts van hem opstelden met de bedoeling hem te ondersteunen. 'Los, los,' riep oom Thieu. Zonder om te kijken of te groeten waren ze in de zwarte Citroën verdwenen, hun rots in de branding, die even later stapvoets wegreed. Misschien was het wel komisch, maar hij herinnerde zich niet dat hij erom gelachen had.

De tocht naar huis in eenzaamheid, eerst schaatsend min of meer. De auto's op de Houtrustbrug die in de bocht opzij gleden en naar de stoeprand dreven als boten naar de waterkant. Het zand op de trambaan van lijn 11 maakte zijn zolen stroef, hij liep het hele stuk tussen de rails. Bij de brievenbus op de hoek van de Boreel-straat stond Andrea hem op te wachten. 'Ze zijn weg! Ze hebben alle vier geschreeuwd!' schreeuwde ze hem tege-moet. 'Maar mammie vindt dat we het kerstkonijn toch moeten eten.'

'Geschreeuwd waarover?'

'Over de oorlog! Ik blijf hier staan, de weg is spek!'

Andrea droeg oude sokken over haar schoenen om de zolen stroef te houden, een idee van moeder, voor hem had ze kapotte voetbalkousen meegegeven. Voetje voor voetje naar huis schuifelend deed Andrea verslag; hoe de overgang van vrolijk naar woedend was verlopen kon ze hem niet vertellen, wel hoe het was geëindigd. Oom Thieu en tante Gemma waren midden in de ruzie weg-gelopen, want vader had geroepen: 'Ze hadden jullie in de tankgracht moeten gooien!'

Terwijl hij in de gang de kousen van zijn schoenen stroopte en door de halfgeopende deur in de huiska-mer keek, overviel hem het gevoel van ver te zijn ge-komen, 'van verre'. Zijn blik, die in een wereld buiten de bekende was gedompeld en daar nog door bewa-semd was, nam trager en intenser waar. Zijn moeder had zich uitgesloofd met kaarsen. De kerstboom, het dres-soir, de adventskrans, de tafel met het smetteloze tafella-ken en de omgekeerde glazen bij de borden, alles leek nieuw en gewichtloos in dat gloedvolle en beweeglijke licht.

Die feestelijk gedekte tafel, na zo'n afgang.

Stiltebogen boven de etenden. Minutenlang. Nadat ze de koninginnensoep met sombere gezichten naar binnen hebben gelepeld, zet zijn moeder het konijn op tafel en verdeelt de voorgesneden porties. Vader heeft zijn leesbril opgezet en onderzoekt het fijne op zijn bord. In ogenschijnlijke rust.

Hayo kijkt naar de flikkeringen op de halfkale schedel van zijn vader. Hij weet: zijn straf is hangende, nu het bezoek zo slecht is afgelopen wordt dat wat in reserve was gehouden ('We zien het even aan met jou') weer paraat gemaakt. (Hierover werd gesproken in termen van loon: dubbel loon, achterstallig loon en loonsverhoging.) Hij hoeft maar even iets verkeerds te zeggen of zijn vader zal in woede uitbarsten en hem de kamer uit schoppen. Zodra hij dat gedaan heeft krijgt hij spijt en zal daardoor niet kunnen genieten van zijn konijnenboutje.

Op dit moment is dat nog niet gebeurd. Vader ontleedt met precisie. Als grootste liefhebber van het konijn is hij de hoofdpersoon van deze maaltijd. Moeder wacht gespannen op zijn commentaar. Ze heeft de bouten twee dagen en twee nachten in een saus van azijn, mosterd, uien, keukenkruiden en gesneden worteltjes gemarineerd; daarna zijn ze bovenop gebraden en in de oven gaar geworden onder zo nu en dan bedruipen.

Andrea kan er niet aan beginnen. Ze zit met ogen groot en glanzend van het kaarslicht naar haar servet te staren. Ach guttegut, konijntje in het bos, konijntje in de duinen, zigzaggend voor de jagers op de vlucht. Om haar aan te moedigen raakt hij haar knie aan onder tafel en steekt een voorbeeldhap in zijn mond. Maar ze zet haar ellebogen op de rand van de tafel en begint het schilderij boven de schoorsteenmantel te bekijken, het schilderij van de herder die bij ondergaande zon zijn schapen naar het hek leidt, ze zit ernaar te kijken alsof ze bij een tante op bezoek is.

Ineens zegt vader dat de kaarsen uit moeten. Moeder staat meteen op en doet het grote licht aan. Andrea en hij kijken elkaar verschrikt aan, het is net alsof ze uit een schuilhoek zijn gehaald.

Hayo: 'Waarom wel bij de soep en niet bij het konijn?' Het klinkt eerder boos en opstandig dan verdrietig en teleurgesteld. Vader werpt hem een vlammende blik toe en snuift als een paard, hij legt zijn bestek neer, eerst de vork, dan het mes. Hij snuift nogmaals en plant zijn ellebogen naast zijn bord. 'Luister jij eens goed mannetje,' begint hij, 'er zijn heel wat dingen waar jij geen verstand van hebt...'

'Wind je niet op Paul, denk aan je hart.' Moeder trekt haar rok op en klimt op een stoel om de kaarsen van de adventskrans uit te blazen. Een klodder kaarsvet valt tussen de schalen op het tafellaken.

'Ik wil ook blazen,' murmelt Andrea.

Moeder en dochter werken nu eendrachtig samen, de een doet de kerstboom, de ander de tafel en het dressoir. De kamer begint te stinken.

'Getverderrie, wat een vieze gore walm,' kan hij niet nalaten op te merken. Hij doet dit deels niet, deels wel expres.

Het deel in hem dat dit spontaan doet is ronduit razend doordat die twee zo gedwee zijn opgestaan om die kaarsen uit te blazen. Het deel in hem dat dit expres doet wil duidelijkheid. Het wil de afrekening, de straf, het pakket van taken, plichten en vernederingen waar hij als het ware recht op heeft en waar hij zich zo snel mogelijk doorheen wil werken om weer vrij te zijn. Het wil met ingang van dit moment drie uur op de asemmer in de keuken zitten; en vanaf morgenochtend een week lang als eerste opstaan om de kachel op te schudden, de asla te legen en de kolenkit te vullen. Het kan niet wachten om aan de extra redactiesommen te beginnen. Bovendien wil het weten of er tussen januari en april gevoetbald kan worden, want de trainer heeft al bekendgemaakt dat jongens die in de competitie spelen zich niet als eikeltjes mogen gedragen. Het is meedoen of niet, dus geen geëmmer over tantes die op bezoek komen of huiswerk dat niet af is.

Onderdeel van de vernedering: het eigenhandig tevoorschijn halen van het voorwerp waarmee hij gestraft zal worden, de mattenklopper in de gangkast. Vader pakt hem zonder enthousiasme aan, maar na de eerste zwiependе slag, als hij met zijn vrije onderarm over zijn schedel strijkt, vliegt zijn bril van zijn voorhoofd en slaat kapot tegen de tafelrand. Dit is de vonk die hem doet ontbranden. De mattenklopper maakt een hoog, bijna fluitend geluid en komt krakend op Hayo's blote billen neer.

Als het voorbij is – gedaan, voltooid, genoeg (wanneer besluit een vader die zijn zoon kastijdt dat het mooi is geweest, dat dit gedeelte van de straf is afgerond?) – ontvouwt zich iets wat op gewoon doen lijkt. Hij hijst zijn broek op en doet erg lang over het vastmaken van de knopen, onderwijl kijkt hij naar zijn moeder die met de mattenklopper in haar oksel geklemd aan de kapotte bril staat te prutsen. De poot is eraf. 'Geef maar mam.' Hij trekt de mattenklopper bij haar weg, gaat ermee naar de gang, hangt hem netjes op de spijker in de gangkast en betreedt het terrein waar hij het vervolg van zijn straf zal afwachten, het deel dat de maatregelen wordt genoemd.

15

Wachten. Zitten. Wachten.

Waar denkt hij aan? Aan geluk hebben. Hij probeert het op te wekken in zichzelf.

Hij is geen kleine jongen, hij is een held van het verzet. Op het einde van de oorlog wordt hij door de Duitsers opgepakt en naar de duinen afgevoerd om geexecuteerd te worden. Wonder boven wonder overleeft hij dat. Hoe? Door zich ééntiende seconde voor het moment van schieten op de grond te laten vallen, een paar stuiptrekkingen te maken en vervolgens geen vin meer te verroeren.

Vraag: hoe zat het met het bloed?

Antwoord: hij droeg een zakje kippenbloed onder zijn hemd. Op het cruciale ogenblik had hij zogenaamd in doodsnood naar zijn hart gegrepen en zichzelf stiekem keihard op de borst geslagen. Het zakje kippenbloed barstte open en voilà. Het lichaam was in een kuil gesmeten. Zand erover, klaar.

Vraag: Hoe zat het met de adem?

Antwoord: Het executiepeloton was gelukkig al na een halve minuut vertrokken.

Zitten en wachten.

Hij schuift het gordijn van de keukendeur opzij en

kijkt naar de donkere tuin.

Waar denkt hij aan?

Aan geluk, aan pech. Aan zomerbloemen. Hij vindt: hij heeft altijd pech, niets mag, niets kan, en alles komt te vroeg of te laat. Afgelopen lente toen hij eindelijk iets zelf mocht zaaien had hij zich te groot gevoeld voor zoiets eenvoudigs als radijzen. Van zijn eigen zakgeld had hij zaad gekocht voor zomerbloemen. Piepkleine zwarte bolletjes die al verdwenen in de zweterige plooien van zijn hand. Hij had het zaad vermengd met zand, hij had de potaarde gezeefd. Hij had de bak met zaaigoed elke dag begoten en bij mooi weer van hot naar her gesleept, van de schutting naar het stoepje bij de keuken en vice versa, steeds waar de zon scheen. Zo graag had hij het begin gezien, het eerste brokje aarde opzij gedrukt door een nietig steeltje met twee groene blaadjes. Niets. Het enige dat opkwam was zijn teleurstelling. En toen hij er allang niet meer naar omkeek: herderstasjes, madeliefjes, bloemetjes die met de wind mee komen en zelfs nog tussen stenen groeien.

Af en toe staat hij op om iets te bekijken: de randen van de theedoeken op het rekje, hoekige huzaren met blauwe hoofddeksels hand in hand met hoekige vrouwtjes in blauwe jurken en blauwe schoentjes. De waakvlam in de keukengeiser, het vignet op de witte beschermkap rond de geiser. 'Denkvlam', staat eronder.

Zo meteen komt moeder hem vertellen welke zonden hij heeft begaan. Daarna gaan ze gezamenlijk naar vader voor de bekentenis en de straf.

'Ik heb een vraag gesteld die ik niet als vraag bedoelde maar als commentaar op een beslissing,' bekent hij aan de denkvlam. 'Ik heb dus weer eens naar de bekende weg gevraagd. Ik weet verdomd goed waarom het grote licht aan moest. Kaarslicht is niet goed voor vaders hart, die dingen vreten zuurstof en dat weet ik best.'

Maar zij was het toch die al die kaarsen had aangestoken?

Hij gaat weer op de asemmer zitten.

Wat had Victor? Trassibek. Wat weet die nou van Indisch, met die oren.

Hoer?

Hayo strekt zich uit op zijn divan en staart naar een vochtvlek in de vorm van een bloemkool op de wand. Hij staart zo ingespannen naar die vlek dat zijn ogen ervan tranen. 'Hoer,' zegt hij tegen de bloemkool. Hij probeert de oerbetekenis ervan op te roepen, het ronde moederlijke 'hoer' zoals het destijds uit de mond van Wilfried had geklonken, het strelen dat hij zich daarbij had voorgesteld. Het 'ga maar door je krijgt er kwartjes voor' vulde de tekorten aan van de op poetsen ingestelde handen van zijn moeder, van haar kneepjes in zijn wang, nooit helemaal lekker, de klopjes op zijn rug, de vluchtige aaitjes over zijn bol.

De rossige kuif van Arie komt hem voor ogen, Arie Westenbroek uit Poeldijk, met wie hij in de tweede van de hbs bevriend was geraakt. Arie had geld voor kandijbrokken en schuine droppen. Hij had plaatjes van Jayne Mansfield en een oudste zus met zulke jetsers. Zei Arie. En een pa met bakkebaarden tot en met zijn onderkaak, door Arie onomwonden neukteugels genoemd. En nu zit hij toch weer als een kleine jongen op het zinken deksel van de asemmer, wachtend op maatregelen, dit keer na het stelen van een rijksdaalder uit moeders portemonnee, want voor Arie moet hij wel zo nu en dan iets terugdoen. (Wanneer besluit een vader dat zijn zoon te oud is om gestraft te worden?) Hij zit met zijn handen diep in zijn broekzakken, met de punten streelt hij zijn ding.

De gestalte van Nellie verschijnt voor zijn geestesoog, Nellie van de was op maandagochtend, ze heeft een zwarte glimmende laktas bij zich en haar gezicht is bedekt met een dikke laag make-up. Haar gezicht is eetbaar, het is van marsepein, maar wat Nellie in verbinding brengt met neukteugels en jetsers is niet dat eetbare gezicht, maar haar roze schort. 'Mijn klemschort,' zegt Nellie. Het is iets nieuws. Afwasbaar plastic. Het roze en het koele van dat plastic geven dit kledingstuk iets onvoorstelbaar frivools en uit-de-bandspringerigs. Daar komt bij dat er met ijzerdraad zoiets als een vrouwelijke vorm in geknutseld is, compleet met wespentaille en borsten. Daar komt het de keuken in gezweefd: nieuw... nieuw... geen hinderlijke strikken, geen flodderige banden meer, in plaats daarvan deze voorgevormde buste waar je als het ware in kunt springen en deze rondgebogen tailleband waarvan de uiteinden elkaar niet raken op de rug. Nellie hoeft zo goed als niets te doen. Ze pakt haar klemschort uit de laktas en hoppetee, ze is een vrouw met zulke jetsers.

Hij staat op om zichzelf op whisky en een paar handjes pinda's te trakteren. 'Eerst pissen, dan pitten,' zegt hij terwijl hij de fles opbergt. Waar is de wc ook alweer? In de bijkeuken. Hij moet erin via de tuin. Waar is het licht? Geen licht? De donkere gang leidt naar een smalle houten deur. Hij klemt. Om hem open te krijgen moet hij zijn schouders ertegen zetten. De deur blijkt op slot. Ach ja, mevrouw Larue heeft gezegd dat de sleutel op een spijker aan de bovenkant van het kozijn hangt. Welk kozijn? Je zou toch denken, op het kozijn van de deur waar het om gaat. Maar hij voelt geen spijker. Hij loopt weer terug en ontdekt de spijker met de sleutel op de deur van zijn kamer. Hij loopt ermee de gang in, haastig, want de druk op zijn blaas wordt heviger. Het slot gaat gemakkelijk open, hij beklimt de smalle stenen trap die buiten het terras om naar de tuin leidt en staat ineens in de betoverende schoonheid van een besneeuwde tuin bij nacht. Snel loopt hij door de krakende sneeuw naar de deur van de bijkeuken. Op slot. Hij vloekt. Inderdaad, mevrouw Larue heeft gezegd: de sleutel naar buiten linksboven, de sleutel naar binnen, voor de bijkeuken, rechtsboven. Hij ritst zijn broek open en leegt zijn blaas in de sneeuw. Hij kijkt omhoog. Dunne vlokken, droge sneeuw. Het waait niet, het is niet eens koud.

Hij slentert wat rond binnen de beslotenheid van de tuin. De bakstenen muren zijn bedekt met wingerd, geen perkjes, geen struiken, maar in het midden van de tuin, en dit is meer dan genoeg, de hele ruimte wordt erdoor beheerst, troont een majestueuze spar. Dit zou Barbara moeten zien, schiet het door hem heen. 'Wat een exemplaar!' hoort hij haar zeggen. 'Meenemen Haai, die is voor ons.' Zoiets zou Barbara kunnen zeggen.

Door de vracht sneeuw die erop gevallen is, of misschien is het altijd al zo, hangen de onderste takken tot op de grond. Hij loopt een paar rondjes om de spar heen, knielt in de sneeuw en buigt wat takken opzij. De boom heeft een binnenruimte, de grond is bedekt met een dikke laag naalden, er ligt geen sneeuw. Hij zou hier de rest van de nacht kunnen doorbrengen als het moest; whiskyfles erbij en een vers pakje shag, dat zou genoeg zijn.

Met een gevoel van spijt haalt hij de sleutel van het souterrain uit zijn spijkerbroek en daalt af naar zijn ondergrondse woning.

Hij is klaarwakker en hongerig. Mevrouw Larue heeft gezegd: 'In de bijkeuken kunt u iets klaarmaken, er staat een tweepits gasstel.' In de kartonnen doos heeft hij uien, twee blikken bruine bonen, kaas, brood, eieren, boter, appels. Iets klaarmaken. Het zou best kunnen. Hij eet pinda's en pakt de whiskyfles. Hij denkt aan de boom. 'Die wordt in de lente omgekapt,' zei mevrouw Larue toen hij zijn bewondering liet blijken. 'De buren klagen dat hij licht wegneemt.'

Meenemen Haai. Ach, Barbara.

Hij strijkt met zijn hand over zijn voorhoofd, over zijn gezicht, zijn hals, alsof hij zich wast, hij masseert zijn nekspieren. 'Mijn boom,' zegt hij, het klinkt bijna kwaad. 'Mijn boom.'

Hij gaat op het bed zitten en leest het geschrevene met de ogen van zijn moeder.

Ze denkt: waarom schrijft hij eigenlijk een brief, hij zit in Den Haag, hij kan toch langskomen? Ze vouwt het velletje zorgvuldig op, stopt de brief achter de ceintuur van haar jurk en loopt naar de keuken om water op te zetten voor een pot koffie. Ze maalt de koffie, spoelt de filter uit en zet de pot met de voor een kwart gevulde filter op het gasstel met twee asbestplaatjes eronder. Waarom komt hij zo weinig thuis de laatste maanden? Ze moet wachten tot het water kookt en in die tijd leest ze de brief opnieuw. Het is hoe dan ook slecht nieuws dat hij niet uitkomt met zijn maandgeld. Drinkt hij niet te veel? Gaat hij op tijd naar bed? Is de herkansing voor die propedeuse al geweest? De fluitketel zet het op een gillen. Ze stopt de brief tussen ceintuur en jurk, draait het gas laag en wrikt de dop van de ketel. Ze schenkt de koffie op met een voorzichtig ronddraaiende beweging, de verrukkelijke geur verspreidt zich snel, ze knijpt haar ogen even dicht en spant haar neusvleugels, op haar bril verschijnen een paar condensplekjes die snel vervagen als ze de ketel terugzet op de pit.

'Mam, Andrea zal u wel verteld hebben, dat ik voor die herkansing ben gezakt. Arme pa, dacht ik toen ik die uitslag kreeg, arme hartkransslagader, arme...'

Niet goed. Hij maakt het gedeelte vanaf 'arme pa' onleesbaar door er schuine streepjes en spiralen overheen te trekken.

'Dat is dus de reden dat ik al een tijdje niets heb laten horen. Vanwege vaders hart. (Andrea vertelde me dat hij eergisteren in het Rode Kruis is opgenomen. Niets ernstigs, zei ze. Iets met zijn bloedsuikergehalte?)

Nu ik het toch over pa heb, mam, wil ik u graag een geheim verklappen, eerst alleen aan u. Dat ik een vriendin heb! Barbara. Al een paar maanden. Dankzij Barbara kan ik hier mijn bivak opslaan want mevrouw Larue is een vriendin van haar moeder. Barbara is fantastisch, ik wil haar heel graag aan u voorstellen, in eerste instantie alleen aan u, dit in verband met vaders hart. U zult zich wel afvragen wat vaders hart hiermee te maken heeft.'

Fantastisch is niet het goede woord. Hij maakt het onleesbaar met schuine streepjes en lussen. 'Geweldig', schrijft hij nu. Geweldig? Welnee, Barbara is niet zozeer geweldig als wel... Hij maakt de hele zinsnede onleesbaar en schuift de blocnote van zich af.

Barbara is verstandig en kordaat, ze is kalm en arrogant. Ja, arrogantie heeft ze wel, precies het tikkeltje dat nodig is om de patiënten het gevoel te geven dat ze bij haar in goede handen zijn. Barbara heeft fonkelende bruine ogen. En ze is niet dik, maar mollig. Dat wil ze steeds weer van hem horen, dat ze niet dik is, niet té, maar heerlijk mollig juist. Barbara is verrukkelijk, ze heeft een verrukkelijke huid en verrukkelijke borsten.

Barbara is niet alleen verrukkelijk. Ze is ook lief. Als het bij hem opkomt om 's avonds met de laatste trein naar Den Haag te gaan en bij haar aan te bellen, wordt ze niet boos; zelfs al ligt ze dan allang in bed, wat nogal eens gebeurt, want ze moet eruit om zeven uur, ze moet naar haar werk. Als hij aan haar vraagt: mag ik wat geld van je lenen, mijn fiets is gestolen, geeft ze het hem meteen. Maar wat hem dwarszat, en dat was iets van de laatste twee weken, was dat opschrijven. Daar was de ruzie mee begonnen, met dat opschrijven.

Hayo: 'Waarom schrijf je het steeds op? Ik onthoud het wel, doe alsjeblieft dat idiote blauwe boekje weg.'

Barbara: 'Ik wil weten waar het geld blijft, als we trouwen moet ik dat tenslotte ook doen, weten waar ons geld blijft, het budget bewaken.'

Over trouwen hadden ze nog nooit gesproken.

Trouwen. Het budget bewaken. Weten waar ons geld blijft. 'En waar komt dat geld van ons vandaan?' had hij gevraagd, lacherig, ten volle bereid zoiets als vadertje en moedertje met haar te spelen. 'Welt het op uit de grond? Groeit het aan struiken?'

Barbara: 'De taak van de vrouw veronderstelt een taak van de man.'

Hayo: 'Aha, ja, natuurlijk, haha, ezeltje strekje, tafeltje dekje. De man zorgt voor het geld, de vrouw zorgt voor de tafel.'

Barbara: 'En het kind.'

Hij had direct begrepen wat ze ermee zeggen wilde. Niet als wens, niet als mogelijkheid kwam het kind op tafel, maar als aap uit de mouw. En hij wist ook meteen (dit inzicht werd hem als het ware toegeworpen van opzij, als verdiende buit, als achterstallig loon) dat hij de vrijheid die hij had bevochten op het eeuwige 'je verantwoordelijkheden kennen' op zijn buik kon schrijven. Hij wist het meteen. Door dat ene zinnetje 'En het kind', uitgesproken met een overtuigingskracht die leek te teren op al lang verworven rechten. En razendsnel, als een berekening met duivelshanden uitgevoerd op een rinkelende kassa, was ook meteen de slotsom opgemaakt, want Barbara had gezegd: 'Er staat een baan bij Verkeer en Waterstaat in de krant. Je hoeft alleen maar hbs te hebben.'

Hayo: 'Dus wat jou betreft kan ik kantoorpik worden.'

Barbara: 'Je kunt ook zeggen ambtenaar. Wat is daartegen?'

Hayo, ijsberend door haar ordelijke slaapkamer; vijf waaierende stappen vanaf de klerenkast naar een baan zonlicht op de vloer bij de wastafel: 'Ik dacht dat je de pil gebruikte.'

Barbara, half staand, half zittend op de radiator onder het raam: 'Ik werd dik van die pil, ik dacht, nou ja, dat het wel kon, met een beetje oppassen, je weet wel, de kalender.' Ze was teleurgesteld in zijn reactie, dat was te zien aan de driftige manier waarop ze pluisjes van haar rok plukte. Ze stond op. 'Ben je niet blij?' Ze ging voor de spiegel boven de wastafel staan en begon met driftige rukken haar haar te borstelen. Uit de manchet van haar witkatoenen trui bungelde een draadje. Hij pakte haar hand, drukte met gesloten ogen een warme, intens proevende kus op de binnenkant van haar pols en schoof zijn hand onder haar trui. Met een bruuske beweging had ze zich van hem losgemaakt. 'Ben je niet blij, vroeg ik!'

En toen was hij over die abortus begonnen, een ongelooflijke stommiteit, of zij niet iemand kende die op een medisch verantwoorde manier, enzovoorts. Een blunder, het was duidelijk genoeg hoe blij ze met het ongelukje was. Zij wel. Hij niet. Dat stak al diep genoeg. Ze had hem een klap in zijn gezicht gegeven.

Barbara, met verstikte stem, boos kijkend naar haar hand: 'Je zult moeten kiezen, Hayo. Ja of nee.'

Niets ertussenin. Dus: ja Barbara en het kind. Niet: ja Barbara, nee kind.

Hij wist best dat hij een verloren wedstrijd speelde, maar de klap vlamde in hem na en hij was zonder iets te zeggen weggelopen, de deur uit, de stad in. Toen hij 's avonds terugkwam, lichtjes aangeschoten, maar met geen ander voornemen dan haar ten huwelijk te vragen, had zijn weekendtas in het halletje gestaan.

'En?'

Die tas stond daar, de rest van zijn spullen hadden ze een halve dag geleden in haar kelder neergezet, zijn kamer in Leiden was al opgezegd, hij zou die week bij haar logeren, in die week zou ze hem helpen met het zoeken naar een goedkope kamer. En nu stond daar die weekendtas van hem. De klap vlamde weer op.

'Wat en?'

Barbara had dikke ogen, er zaten rode vlekken in haar hals, maar ze had niet al die uren zitten huilen. Ze duwde hem het papiertje met het adres van mevrouw Larue in de hand en dat was dat. Bij die mevrouw Larue kon hij rustig nadenken en een beslissing nemen. Vanaf morgenochtend elf uur kon hij er terecht.

'En vannacht? Op straat slapen soms?'

'Je hebt vrienden en je hebt een vader en een moeder en je hebt een zus.'

16

Andrea stond net op het punt de lichten uit te doen,
Gijs en Heleentje sliepen al en zij ging nu ook naar bed.
'Waarom ga je niet naar moeder, je bent ruim drie
maanden niet thuis geweest, ze springt een gat in de
lucht als ze je eindelijk eens ziet.' Ze legde haar hand
even op zijn schouder en haar stem daalde. 'Wat let je,
pa ligt in het ziekenhuis.'

Hij tikte met zijn nagel op de wijzerplaat van zijn
horloge. Het late uur.

Andrea gaf hem een slaapzak voor op de bank in de
huiskamer. Welterusten en tot morgenochtend. Starend
naar de suizende gashaard waarvan het raster om het
halfuur na een kort plofje roodgloeiend oplichtte, had
hij tot zeven uur toekomstplannen en goede voornemens gemaakt.

Het ontbijt had best korter mogen duren, maar nadat
hij het nieuws bekendgemaakt had, schonk Gijs zichzelf
nog een kop thee in en leunde achterover. 'Bij haar ook
al schulden? Allemachtig, dat wordt wat met jullie. Wat
doet die Barbara eigenlijk en hoe oud is ze?'

Hayo: 'En als ze nu eens zesendertig was en de kost
verdiende als serveerster bij de Apedans? Zou jij daar
iets op tegen hebben meneer Gewoon?'

Gijs, meteen flink kwaad: 'Luister Hayo, voor mijn part is ze tweeënzestig en heeft ze ezelsoren en een staart, maar als jij je niet normaal gedragen kunt, moet je hier niet komen.'

Hayo: 'Duelleren?'

Gijs, zijn boterhammen voor de grote pauze in een plastic zakje proppend, onderwijl zijn stoel wegschuivend, daarna oprijzend: 'Geen tijd meneer de student, deze dienstklopper moet naar zijn werk.'

Gijs naar zijn werk, Heleentje uit bed. Andrea voerde haar een prakje van banaan en Liga-koek op smaak gebracht met roosvicee. 'Vertel nou eens, hoe ziet ze eruit en zo en hoe oud is ze nou echt?' Steeds als Heleentje een hapje in haar mond kreeg, blies ze haar wangen op en perste haar lippen op elkaar, met bolle wangen maakte ze kauwende bewegingen; bij het doorslikken kwam een flink deel van het prakje weer naar buiten.

Andrea (lepeltje omhoog, stem omhoog): 'Wat, vijfentwintig? En jij praat over een ongelukje? Hayo, speel niet de naïeveling, verpleegsters weten heus wel waar Abraham de mosterd haalt. Die Barbara slikte eerst de pil en daar is ze gauw mee opgehouden toen ze jou zag, knappe jongen.' Ze schraapte het overtollige eten op het lepeltje en happerdepap, na een korte pauze ging het restje weer naar binnen bij Heleentje.

De pil. De pil. Een pil. Pilletjes. Hij kijkt naar de brief. 'Baby,' zegt hij, het hoge woord.

De brief kijkt hem aan: 'U zult zich wel afvragen wat vaders hart hiermee te maken heeft.'

Het papier is geduldig.

148

Barbara heeft gezegd: 'Een foto van een moeder met een baby aan haar borst, dat is bij ons thuis al bijna seks.'

Andrea: 'Wie weet lukt het haar dan om een onbevlekte ontvangenis te simuleren. Luister Hayo, die Barbara heeft je voor het blok gezet, in zekere zin heeft ze jou je zaad ontfutseld.'

Hayo laat zich opzij vallen en beweegt zijn bovenlichaam omhoog en omlaag. De arend spreidt zijn vleugels, zweeft boven het zeeoppervlak en keert terug op de rots.

Barbara heeft gezegd: 'Mijn pa schrikt zich een beroerte.'

Andrea heeft gezegd: 'Pa krijgt een hartaanval.'

Ontfutseld, wat een onzin, Andrea altijd met haar woorden. Maar ze was bereid geweest het ijs voor hem te breken, zij het dan alleen wat betreft het gedeelte over de propedeuse en de schulden. 'De rest moet je zelf doen,' had ze gezegd. 'Vertel het eerst alleen aan moeder of weet je wat, schrijf haar een brief, dan hoeft ze haar eerste reactie niet aan jou te laten zien.'

Hayo: 'Wat een omzichtigheid. Waarom maak je ons klein tegenover die twee? Waar hebben ze dat aan verdiend?'

Andrea, met iets wrokkigs in haar stem: 'Wij zijn hun investering in elkaar, hun werk als echtpaar.'

'Hun werk als echtpaar, zeg je, hun werk als echtpaar? Laat me niet lachen! Heeft Gijs je dat soms wijsgemaakt?'

Nadat ze Heleentje naar bed had gebracht was Andrea met haar jas over haar arm de huiskamer binnen gekomen, ze droeg een donkerbruine muts van namaakbont.

'Wil je een uurtje blijven om op haar te passen? Dan kan ik eruit voor een paar boodschappen.' Daarna zei ze zonder overgang of inleidend gepraat: 'Wist je dat moeder vroeger dienstmeisje is geweest en wist je dat pa... wacht.' Ze gooide haar jas op de bank en haalde een grote witte envelop uit haar bureautje. 'Ik ben van alles aan het uitzoeken en ik heb sinds kort contact met onze zus in Texas. Lees.' Ze legde hem op de salontafel en tikte erop met een gekromde wijsvinger. 'Over Zwitserland en zo, geschreven op mijn verzoek. Hier. Lees. Er zijn ook foto's bij.'

Hayo: 'Hebben wij een zus in Texas?'

Andrea, wijzend naar de brief op het tafeltje, daarna knikkend naar het telefoontoestel naast de boekenkast: 'Lees. Ik heb hem net binnen. Gisteren belde ze om te vragen of hij al was aangekomen, we hebben een kwartier getelefoneerd. Ze is best, Hayo, weet je dat?'

Hayo: 'Weet je dat je er hartveroverend raar uitziet met dat tengere, jasloze lijfje onder die veel te grote astronautenmuts?'

Andrea was ruim een uur weggebleven. 'Heb je die brief gelezen?' riep ze bij thuiskomst vanuit de gang.

Hayo, stukjes eierschaal verpulverend op zijn bord: 'Als ik eerder had geweten dat mijn vader, die mij al zo lang ik kan ademen met knoet en knuppel de maatschappelijke ladder op probeert te jagen, pas na zijn dertigste zijn hbs-diploma gehaald heeft, dan...' Hij nam het gruis tussen duim en wijsvinger en strooide het in een kopje koude thee.

'Kom, afwassen.' Ze begon bordjes en kopjes op een blad te verzamelen. 'Was je dan niet gesjeesd?'

'Gesjeesd! Jezus Andree, gesjeesd! Dat woord hoor je alleen nog uit de mond van honderdjarigen.'

'Waarom heb jij zo de schurft aan Gijs?' Ze duwde hem een theedoek in de hand.

'Gijs heeft de schurft aan míj.' Hij gooide een kopje terug in het afwaswater. 'Die moet over, er zit een suikerrandje onderin. Jouw Gijs vindt me een hufter en een klaploper en dat ben ik ook. Ik van mijn kant zie in Gijs vooral de leraar en ik heb geen prettige ervaringen met die beroepsgroep.' Hij gooide opnieuw een kopje in de afwasteil. 'Weer een met suiker, wel afwassen, dame.'

Andrea: 'Klaploper, kom nou, je moet jezelf niet zo afvallen en pa dan, je hebt die brief toch gelezen? Wist je trouwens dat moeder vroeger van huis is weggelopen?' En daarna was ze een uur lang aan het woord geweest, over opa De Heer, over Sjef en Thieu en Gemma en over baden zonder hemd.

Hij staart naar de brief. Een brief. Niet zijn idee. Het idee van Andrea. Een baby. Niet zijn idee. Het idee van Barbara. Barbara heeft hem zijn zaad ontfutseld. Het botte zit 'm in 'ontfutseld'. Zaad is niet grof. Moeder brengt het in verband met medische handleidingen: nachtelijke zaadlozingen zijn heel normaal voor adolescenten. Of misschien met de bijbel: Onan verspilde zijn zaad. Zaad is kostbaar. Zaad is onschuldig. Net zo onschuldig als een foto van een moeder met een baby aan de borst, net zo onschuldig als baden zonder hemd. Hij rolt zijn hoofd heen en weer op het kussen van de divan. 'Klaploper, klaploper, klaploper, klaploper.' Hij rolt zijn hoofd zo heftig heen en weer dat zijn nek er pijn van doet. 'Baby...' fluistert hij. 'Baby, baby, baby, baby.' Niemand mag zeggen dat het hem aan moed ontbreekt. 'Barbara en de baby. De baby huilt. De baby weegt acht pond. De baby heeft darmkrampjes.'

Hij schiet overeind en pakt zijn pen.

'Barbara is in verwachting namelijk.'

Tranen! Hij weet het. Zijn woorden zullen onvermijdelijk tot tranen leiden. Moeder doet haar handtas open en haalt haar zakdoek eruit, haar bril gaat af. Even later zal op de Prins Mauritslaan, niet ver van zijn ouderlijk huis vandaan, de telefoon rinkelen. 'Met Andrea Dankaert.'

Het telefoongesprek duurt lang, Andrea kan net zo goed even langsgaan, vroeger zou ze dat gedaan hebben, maar sinds ze op die cursus zit niet meer. Twee keer in de week is zat, heeft ze gezegd, anders wordt het klef. Hij drukt de punt van zijn pen in de kaft van zijn bloknoot en bestudeert het uitvloeien van de inkt.

Het telefoongesprek duurt misschien heel kort, want Andrea heeft gezegd dat ze alleen het ijs zou breken, meer niet. Maar ze neemt het voor hem op, de schat. Ze zegt: 'Hayo dacht dat ze de pil gebruikte. De tijden zijn veranderd, mam.'

Platitudes kunnen heel genadig zijn; als zijn moeder de telefoon heeft neergelegd, leest ze zijn brief nog eens door. Het is nu een iets andere brief geworden.

Hij kijkt naar het geduldige papier.

'In zekere zin is het een ongelukje.'

'Een ongelukje? Hij is er toch zelf bij geweest?!' Niet goed.

'In zekere zin heeft ze er zelf voor gekozen.'

'Hoezo zijzelf? Hayo toch net zo goed?'

Hij maakt de woorden stuk voor stuk onleesbaar met schuine streepjes en spiralen. Met enige spijt bekijkt hij het beschreven vel, ontsierd, en daardoor in de ogen van zijn moeder onbetrouwbaar, met de harige rupsen van zijn doorhalingen.

'Luister mam, niet dat ik mijn verantwoordelijkheden wil ontlopen, maar ik nam aan dat ze de pil gebruikte.'

De pil. Een pil. Pilletjes. Dé Pil.

Andrea zal het allemaal wel uitleggen.

Het is koud. Hij staat op en zet de thermostaat van het elektrische kacheltje op vijf. Uit de kartonnen doos haalt hij een paar geitenwollen sokken en een donkerblauwe sweater die hij op het voeteneind van zijn bed gooit, maar hij doet er niets mee en gaat weer achter zijn blocnote zitten mijmeren.

Zijn brief zal een paar dagen in de handtas blijven, zeker tot zondagmiddag. Dan gaat Andrea bij moeder op bezoek. Zwager Gijs zal er ook wel bij zijn. En Heleentje natuurlijk, de kleine dondersteen, in een mum van tijd ligt de huiskamer vol met kleertjes, tassen, speelgoed. Heleentje gaat naar het dressoir en begint te rammelen aan de sleutel van het rechteronderdeurtje. Ze houdt daar pas mee op als oma het deurtje open komt doen. 'Ooooooh...' doen oma en Heleentje samen. Daar is de kist met blokken die met donderend geraas wordt omgekeerd.

Gijs vraagt: 'Nog iets gehoord van Hayo?' Zijn bril zakt af, met zijn wijsvinger geeft hij een duwtje tegen de brug. Alsof Gijs niet weet dat er een brief gekomen is.

De brief komt onuitstaanbaar bedeesd uit zijn moeders handtas. Andrea's ogen zweven naar de tuin. De sneeuw van drie dagen oud ligt op het grasveld als een in de was gekrompen dekentje. 'Wat maakt een souterrain tot souterrain,' mompelt ze, 'de hoeveelheid daglicht?' Of ze zegt iets over mevrouw Larue. 'Als die hotemetoot daar in haar eentje woont, mag ze best eens overwegen de bovenste etage aan een jong beginnend stel te verhuren.'

'Wat ik het ergste vind,' zegt moeder, dit soort opmerkingen negerend, 'is dat hij zijn kansen niet heeft benut.'

Andrea: 'Welke kansen, mam. Hayo is geen studiekop, dat studeren is maar een idee van vader. Gijs zegt dat ook, niet iedereen is geschikt voor een universitaire studie.'

Gijs reageert niet, ze moeten hem niet onderbreken, hij is nu die brief aan het lezen.

Moeder: 'Studiekop of niet, ik heb hem altijd de hand boven het hoofd gehouden, dat weet je. En nu? Tja, als hij zich groot genoeg voelt om een kind te maken' – nee, ze zegt: 'om samenleving met een vrouw te hebben' – 'moet hij ook maar zijn verantwoordelijkheden nemen.'

Gijs-zwager houdt de brief voor zijn gezicht en zwijgt. Moeder zou graag de uitdrukking op dat gezicht willen bekijken. Staat het op hulpvaardige betrokkenheid of op onweer? Ze verkeert in tweestrijd, enerzijds wil ze haar zoon niet afvallen, anderzijds beseft ze dat het Hayo is en niemand anders die steeds opnieuw voor moeilijkheden zorgt. En wie zitten dan met de gebakken peren? Hayo niet in ieder geval, die laat zich doodleuk maandenlang niet zien. Gijs blijft zwijgen, de hufter. Hij wil ongetwijfeld horen wat moeders standpunt dan is, inzake dat verantwoordelijkheden nemen. Moeder kiest voor aanprijzen in negatieve zin. 'Hayo is een goed jong, echt waar, maar hij is altijd dwars geweest, dwars en eigengereid, in wezen een goeie jongen, maar dwars, van kindsbeen af. Wat wil je? Ik wijt het aan de oorlogssituatie. De honger, de ellende en we zaten daar bij vreemden.'

De zoem van oorlogsleed.

Gijs legt de brief op de salontafel. 'De pil,' zegt hij, 'de limit. Die denkt dat hij zijn gang kan gaan omdat er nu een pil is.' Hij mompelt iets over Heleentje en laat de vrouwen alleen met hun gesprek. Andrea moet nu heel lang naar haar nagels kijken, en naar de witte tuin, want moeder gaat vertellen over vaders weigering hun woning in het spergebied te verlaten. Het eerste ontruimingsbevel, het tweede, het 'liever geen familie op mijn lip', het geloei van de sirenes, de bommen op die ochtend van de derde maart.

Andrea: 'Even iets anders mam, als pa dinsdag uit het ziekenhuis ontslagen wordt, kan ik niet met je mee, want...'

Moeder reageert niet of misschien heeft ze het niet eens gehoord. De terugkeer in het spergebied, de opgebroken straten met het hoogopgeschoten onkruid, het kolenhok gevuld met lege drankflessen want de mof had het er goed van genomen. En zand, overal zand...

Andrea staart naar buiten. 'Zand en kippen in de tuin,' zegt ze dromerig. 'Dat weet ik nog. De tuin één grote zandbak en de kippen liepen vrij.'

'Kippen ja,' beaamt haar moeder. 'Niet alleen bij ons, veel mensen hielden kippen, tot lang na de oorlog.'

Andrea begint de koffiekopjes in elkaar te stapelen, maar nu pa er niet bij is, kan moeder het niet laten de naam van Thieu nog eens te zuiveren. Dat Thieu lid van de Partij geweest zou zijn is flauwekul en als híj een collaborateur was, wie dan niet. Half aannemend Den Haag deed aan die afbraak mee! Wat wil je, het was oorlog.

Gijs en Heleentje komen aangestapt. Ze hebben hun jassen aan. 'Foto's oma!' roept Gijs.

Hayo's hand maakt een bruuske beweging, waardoor er een kras op het papier komt. Foto's oma! Hij ziet het mapje dat Gijs op de salontafel geworpen heeft voor zich, hij kijkt ernaar alsof hij sneeuw ziet branden. Foto's van Heleentje op de schoot van Sinterklaas, foto's van Heleentje op de schoot van opa, foto's van Heleentje op de schoot van oma, foto's van Heleentje bij Zwarte Piet.

Foto's oma!

Moeder pakt het mapje op met een verheugde uitdrukking op haar gezicht, als oma is ze tien jaar jonger. Wat Gijs zojuist op de tafel heeft gegooid is nieuwe geschiedenis, betere geschiedenis, de geschiedenis van een gezin dat in het heden leeft.

Hayo strekt zich uit op zijn matras.

17

Als hij een paar uur later wakker wordt, van de telefoon of de kou, voelt hij zich zo katterig dat hij met schoenen en al onder de dekens kruipt. Boven zijn hoofd begint de telefoon opnieuw te rinkelen, blijkbaar is mevrouw Larue al aangekleed want hij hoort het tiktak van haar hakken. 'Met mevrouw Larue.'

Het is onmogelijk om niet te horen wat ze zegt. 'Ik denk het niet,' zegt mevrouw Larue, 'die zal nog wel slapen.'

Mevrouw Larue zegt geruime tijd niets.

Hayo komt uit bed en doet het licht uit. Tegelijkertijd, alsof het ene het andere in gang zet, slaat het elektrische kacheltje aan en werpt een oranje gloed over de vloer.

'Maar als u zijn zus bent is het ook úw vader,' zegt mevrouw Larue, 'gecondoleerd met dit verlies, mevrouw Dankaert.'

Hij staat tegen de deur geleund en tuurt ingespannen naar het schijnsel op de vloer.

Wat te doen?

Hij verscheurt de brief.

Hij gaat naar buiten, waar het net begint te schemeren, het vreemde licht in de besneeuwde tuin doet pijn aan zijn ogen. Hij haast zich het trapje op en beent naar de boom, alsof hij daar een afspraak heeft of iets heeft laten liggen wat hij gauw nog even op moet halen. Hij buigt de stugge, laaghangende takken opzij en kruipt naar binnen.

Het onderste deel van de stam is kaal. Hij leunt ertegen en schurkt zijn rug tegen de uitstekende oneffenheden. Hij zit hier goed. Het is hier droog, werkelijk droog, het zachte tapijt van dennennaalden voelt heel wat comfortabeler aan dan zijn met stukken vloerbedekking belegde keldervloer.

'Adieu pa, het is over. Het is afgelopen en geëindigd en voorbij. Rust in vrede pa. Van nu af aan ben je geen vader meer, geen echtgenoot, geen zieke oude man, geen zoon van overleden ouders, geen Nederlander zonder vaderland, geen indischman, geen zielig ambtenaartje zonder geld, geen bullebak. Rust in vrede pa. Je hoeft nooit meer naar de radio te luisteren, naar de radionieuwsdienst verzorgd door het ANP. Je hoeft geen kranten meer te lezen, je hoeft je nooit meer op te winden pa, het is voorbij.'

Prrt.

Niets blijft lang hetzelfde. Een forse zwartwit gevlekte kater komt op bezoek, met vlugge kussende beweginkjes begint hij het terrein te keuren, steeds opkijkend in zijn richting. Dit moet Chico zijn, dit is ongetwijfeld zijn domein. Hayo strekt zijn arm uit: 'Pssst.' De kat springt blazend opzij, duikt ineen, heft zijn kop op, duikt ineen, heft zijn kop weer op en verdwijnt met opgeheven staart naar het maagdelijke wit van de tuin.

Hij snuift de verrukkelijke geuren op die zijn neusgaten prikkelen: hars, hout, aarde, sneeuw. Hij zit hier goed, dit is nou wat je noemt goed zitten.

'Meenemen Haai,' fluistert Barbara, het lijkt wel of ze naast hem zit.

'Wil je met me trouwen, Barbara?'

'Ja, natuurlijk wil ik met je trouwen.'

Hij kijkt naar boven en ziet de witte plekken in de dichtbesneeuwde takken. En nu voelt hij – binnen in zijn borst, daar begint het – warmte, warmte die zich verspreidt over zijn hele lichaam en uitstraalt naar de donkere, geurige ruimte onder de takken, warmte die zich vermengt met het goed zitten.

Een kerkklok begint te slaan, een vragend, ietwat droevig timbre; hij luistert ingespannen, de slagen volgen elkaar op in een plechtstatig tempo, van elke slag probeert hij het moment van wegsterven vast te stellen, om zich daarna te verheugen in de nieuwe slag, vol en rond, vertrouwenwekkend. Het is acht uur.

Boven in de boom klinkt geritsel en zwaar vleugelgeklapper. Brokken sneeuw komen naar beneden, van tak tot tak kleiner wordend en deels verpoederd vallen ze op zijn schouders, zijn knieën en op de roestbruine grond.

18

'Hallo?'

'Kan ik Heleen Dankaert spreken?'

De stem – dit keer een hese meisjesstem – gaat bereidwillig op zoek. 'Heleen, Heleen!' Geklos in het kale trappenhuis, wegstervend en vervolgens in sterkte toenemend. 'Die is er niet. Zal ik een boodschap doorgeven?'

'Graag, of ze me terug wil bellen, Andrea Spanjert.'

Telkens als ze haar nieuwe oude naam gebruikt, of geconfronteerd wordt met andere tekenen van haar veranderde status, heeft ze de gewaarwording van iemand die zich opmaakt om iets zwaars te tillen en dan bijna achterover tuimelt, want het is juist vederlicht. 'Het moment lijkt willekeur', had ze in haar dagboek genoteerd toen ze eenmaal tot de scheiding had besloten, 'je pikt het met twee spitse vingers uit de tijd en zet een punt.'

Achteraf leek zelfs die laatste stap te zijn ingegeven door omstandigheden. Sinds Heleen op kamers was, had ze met de gedachte gespeeld haar baan op te zeggen; het besluit daarover was genomen toen haar moeder na een valpartij op straat verzorging nodig had; zoveel dat het handig leek tijdelijk bij haar in te trekken. Nauwelijks twee weken later kwam Gijs met die vriendin op de proppen; en dat had haar over de streep getrokken.

Een uur later belt Heleen uit zichzelf vanaf een kwartjestoestel in een café.

'Gaat het mam, is het nog een beetje uit te houden in dat hete flatje?' Ze klinkt gehaast en wordt gedurig overstemd door geroezemoes. 'Ik kom morgen. Moet ik nog iets over oma's schoenen zeggen? Wacht.'

Het laatste kwartje wordt besteed aan oma's schoenen; een aankoop die zij niet verantwoord had geacht omdat het schoenen voor in de rolstoel waren, niet om mee te lopen. 'Neem dan een merk dat Heleen ook mooi vindt', had Andrea aangeraden, 'jullie hebben dezelfde maat, dus als jij ze niet meer draagt kan Heleen ze van je overnemen'. Prompt had oma een paar Mefisto's gekocht. 'Mijn laatste paar', zei ze tegen de verkoopster. Het meisje had niets teruggezegd, maar aan de manier waarop ze met het wisselgeld omging, alsof de dubbeltjes en kwartjes gouden pillen waren, kon je heus wel zien dat ze onder de indruk was.

'Zie je wel, Andrea, jij zegt steeds, "je moet erover praten", maar de mensen willen het niet horen, ze zijn bang.'

'Niet bij vreemden! Hoe had dat meisje moeten reageren, mam? "Uw laatste paar, mevrouw? O, maar dan krijgt u korting hoor!"'

Na thuiskomst waren de schoenen met doos en al in de kast gezet, ze mochten niet eens uit het vloeipapier. Sindsdien ging het haast elke dag wel een paar keer over die schoenen. Stel dat Heleen ze niet leuk vond. Stel dat ze haar niet pasten, dan konden ze geruild worden, maar dat moest binnen veertien dagen. Wanneer kwam Heleen die schoenen nou eens passen?

'Morgen dus hè mam, dan kom ik ze passen. Al weet ik nu al zeker dat ik ze nooit zal dragen.'

'Waarom niet, ze zijn gloednieuw.'

Ineens is het gesprek afgelopen.

Dit zijn de schoenen van Martha Spanjert-de Heer, het laatste paar. En dit is haar schoudertas, met een zo goed als volle strippenkaart – bijna lege zou zij zeggen – en die geur van Je Reviens van Worth. Toen ze nog liep, weliswaar zwaar steunend op de loopstep, hing ze hem bij voorkeur om haar nek en doordat ze enigszins gebogen liep, slingerde hij voortdurend heen en weer. Een gek gezicht, dat heen en weer geslinger van die zwarte tas.

'Waarom hang je hem niet aan het stuur?'

'Nee, dat gaat niet met die lange hengsels, dan schop ik er steeds tegenaan.'

'Wikkel ze dan rond het stuur, van de ene handrem naar de andere.'

'Nee, waarom? Wat zeur je toch Andrea, ik hang hem gewoon om mijn nek.'

Ze kibbelden als mussen in die tijd, Andrea was net bij haar moeder ingetrokken. Kortdurende ruzietjes waren het over de duizend-en-een ongemakken die het ziek zijn met zich meebracht. Toen 'het' nog niet in de botten zat hadden ze er een beetje lacherig over gedaan. Zoals over de borstprothese, die zo fors was uitgevallen dat het ineens leek of ze niet links maar rechts wat miste.

O, dat gehannes met die loopstep, alleen al de benaming. Andrea was hem gaan bekijken in een winkel voor prothesen en orthopedische artikelen. Toen ze hem zag staan, fonkelend en op een vreemde manier onvolgroeid, liep ze de winkel uit en belde haar moeder op vanuit een cel.

'Hoe ziet het er dan uit?'

'Denk aan een fiets zonder kettingkast en zonder zadel.' Het bleef een poosje stil aan de andere kant van de lijn. 'En met drie wielen,' voegde ze eraan toe.

'Het klinkt heel raar.'

'Het is ook raar.'

'Het moet maar.'

Vlak voor de periode met de rolstoel waren ze gezamenlijk verhuisd naar een driekamerflat zonder drempels. Hoewel haar moeder heel goed wist dat ze nooit honderd jaar zou worden – dat had ze zich als klein meisje voorgenomen – kwamen woorden als sterven of doodgaan niet over haar lippen. Wat ze nog voor zich had, de douchepartijen (zittend), de medicijnen (hun namen, hun bijsluiters, het pillenrooster), de kamerplanten, het weer, de televisie, het eten van Tafeltje-dekje, de doktersbezoeken, de pedicure, de kapster die aan huis kwam, de grootletterboeken, dat alles was voldoende om er een gedegen dagindeling op na te houden. 'Mij krijgen ze niet zomaar klein.'

'U houdt het goed vol,' beaamde dokter Zwart. Dokter Zwart liep tegen zijn pensioen, zijn bezoekjes eindigden steevast met de duim omhoog en 'prima' zeggen. In leven blijven, een sport. Hoe? 'Met pure wilskracht,' meende dokter Zwart.

Op een dag wilde ze alleen nog met haar voornaam aangesproken worden.

'Zeg je het ook tegen de anderen?'

'Zal ik de tv aanzetten, mam?'

'Zeg je het ook tegen Francien en Wieger?'

Francien en Wieger waren zeven jaar geleden voor het laatst overgekomen. Ze stuurden elk jaar in december een foto van henzelf en hun gezin. 'Best wishes, love.'

'Zeg je het ook tegen Hayo en de anderen? Prent het je maar in,' glimlachte ze. 'Martha, Martha. Zeg twintig keer Martha tegen me, dan ben je erdoorheen voordat we thee gaan drinken.'

Martha, na bijna veertig jaar mammie, mam en moeder. Ze had beter kunnen verordonneren dat de vier stoelen rond haar tafel voortaan Frans, Henk, Gerard, Jacob moesten heten.

Andrea bekeek het smalle gezicht van haar moeder. Martha, een kleinood, het lag diep weggezonken in het lichtblauwe kussen. 'Martha, Martha, Martha...'

De glimlach week niet van haar moeders lippen terwijl ze haar een twintigtal Martha's toediende: Martha, Martha, als een nieuw soort medicijn. Daarna zette ze de kussens recht en hees haar moeder overeind. 'Een kop thee, Martha?'

'Dokter Zwart moet het ook weten.'

'Natuurlijk mam, ik zal het hem zeggen.'

164

'Je bedoelt: "Natuurlijk Martha, ik zal het hem zeggen".'

Dokter Zwart was de dag daarvoor wat langer blijven zitten. Hij had een glaasje port met hen gedronken en was over de kleur van haar haar begonnen, grotendeels nog zwart, merkwaardig genoeg, met een zweem van grijs. Hoe was dat mogelijk? Het was mogelijk, zij was het levende bewijs. 'Gekken grijzen niet,' glunderde ze. 'Maar de krullen zijn niet echt. Vroeger wel. Een hoofd vol krullen had ik. Gekrulde haren, gekrulde zinnen, zeggen ze. Nee, als kind was ik geen lieverdje.'

'Wie wel?' zei dokter Zwart.

'Ze maakt het verbazingwekkend goed,' zei hij tegen Andrea toen ze hem uitliet. 'Maar wees erop voorbereid dat het onverwachts kan omslaan. Als ze bediend wil worden, moet je iets gaan regelen, je hoeft niet tot het laatst te wachten, snij het onderwerp eens aan.'

'Bedienen? Geen sprake van, ik ben nog lang geen sterfgeval.'

'Dokter Zwart zei: je hoeft niet tot het laatst te wachten.'

'Zei hij dat?' Ze keek boos naar de kamerdeur. 'Priesters komen nooit,' zei ze. 'Bovendien, de goeden treden uit en stichten een gezin.'

Haar wereld werd steeds kleiner.

'Een huzarenmutsje, zie je?' Ze hield haar theekopje een beetje schuin en toonde het laatste restje. 'Zie je? Een huzarenmutsje.'

'Dit stopcontact is een gezicht, geen mond, toch is het een gezicht.'

'Kijk, een piepklein behangoortje.'

De laatste weken veranderde Martha in een vriende-
lijk oud dametje dat voor alles wat voor haar gedaan
werd lief glimlachend bedankte. Er kwam dagelijks iemand die haar waste en de doorligwonden op haar rug
verzorgde. Had ze pijn? Ze slikte nauwgezet haar pijn-
stillers en klaagde nergens over. Zelfs niet over Hayo
die steeds vaker belde, zelfs 's nachts, maar nooit kwam.
Ze vergaf het hem. 'Hij zal wel weer een nieuw liefje
hebben,' glimlachte ze, 'of een nieuw baantje.'

Hayo had twee kinderen en was, tien jaar eerder al,
van Barbara gescheiden. Hij woonde sinds een jaar in
Groningen. In het adressenboekje van zijn moeder nam
zijn naam twee pagina's met doorgestreepte adressen in
beslag, sommige voorzien van meisjes- en vrouwenna-
men. In de eerste jaren van zijn huwelijk had hij bij een
loodgietersbedrijf gewerkt, daarna in de bouw. Na zijn
scheiding, onderbroken door periodes waarin hij in de
wao dan wel de bijstand liep, was hij achtereenvolgens
geweest: ober, boekverkoper, corrector, hulpconciërge
op een middelbare school, colporteur bij een boeken-
club, ober, baliemedewerker bij een reisbureau, ober,
baliemedewerker bij de Spoorwegen, ober, postbode en
enquêteur.

De telefoongesprekken tussen Martha en Hayo waren
langdurig maar niet diepgravend; in die laatste week was
het prachtig weer en dat werd uitgemeten in al zijn ef-
fecten.

Martha: 'Ik lig hier met open ramen. (…) Nee jong,
ik hoor dat niet, ik hoor wel onze eigen merels, elke
ochtend. (…) Wat zeg je? Echte mensenzinnen?' Ze
legde de hoorn op het laken. 'An, de merels in het noor-

den zingen: "Doe die déur dicht, doe die déur nou dicht".' En toen moest Andrea uitvissen wat de Haagse merels zongen, daar werd 's avonds over teruggebeld.

Bij een van die telefoongesprekken – Andrea zat de krant te lezen bij het open raam – zei Martha tegen Hayo: 'Ik weet niet wie ik ben. Zouden anderen dat ook niet weten? (...) Dat is goed jongen, dan leg ik neer.' Nadat ze het gesprek had afgebroken sloeg ze met haar hand op het laken. 'Ik weet niet wie ik ben,' zei ze weer. 'Hayo zei dat ik dat met jou moest bespreken.'

Andrea: 'Je bedoelt natuurlijk niet: ik weet niet hoe ik heet, want dat weet je best.' Terwijl ze deze woorden uitsprak – woorden waar ze niet echt in dook – verloor ze het contact ermee; ze veranderden in klanken zonder enige betekenis, ze stond op en ging op de rand van Martha's bed zitten.

Martha kuchte. 'Gek,' zei ze, 'ik denk de laatste tijd vaak aan je vader.' Ze sloeg weer met haar hand op het laken. 'Vannacht zat hij ineens waar jij nou zit, op de rand van mijn bed. Hij zei niet veel, niets eigenlijk, maar het was goed tussen ons, helemaal.' Ze begon te lachen en daarna te kuchen. 'Logisch dat hij niet veel zei, hij is al dik een jaar dood.'

Dik een jaar, hij was ruim achttien jaar geleden overleden.

Andrea stond op om de foto te halen.

Haar vader is op die foto halfkaal, de inhammen reiken zo ver dat het dunne restant boven op zijn schedel bijna een eiland vormt. Hij zit op de leuning van een fauteuil en kijkt glimlachend neer op Martha, een meisje met donker haar en ronde, diepliggende ogen. Ze heeft haar gezicht naar hem opgeheven. Te oordelen naar de stand van de hoofden zou ze hem lief moeten aankijken, de glimlach is er al maar de blik is nog onderweg, hij dwaalt naar een muur of een meubel in de kamer. Die vage, hartverwarmende glimlach geeft haar gezicht iets peinzends en weemoedigs. Op de achtergrond, ze zitten in een donkere salon, is een piano zichtbaar. De klep staat open, het zwart van de kast gaat op in het donker, je ziet alleen de witte tanden. (Piano haal die grijns daar weg, piano laat je parelende lach eens horen.)

Het lijkt een kiekje van een vader met zijn dochter; als je hem met dat idee bekijkt is het een leuke foto. Wat is ze jong en knap, die Martha van toen, hoe bestaat het dat zo'n meisje verliefd wordt op een oude man? Maar zo oud was hij toen nog niet. Vijfendertig. En zo jong was zij nu ook weer niet. Twintig.

De foto is gemaakt in de lente van 1935 in het huis van Thieu en Gemma. Via Paul, Nina en Francien was hij bij Andrea terechtgekomen. Na het overlijden van haar vader had ze er negatieven van laten maken en een uitvergroot exemplaar met een zilveren lijst eromheen aan Martha cadeau gedaan, zonder commentaar en in de vage hoop dat haar moeder zich op een of andere manier zou kunnen verzoenen met het geheim dat deze foto weliswaar vertegenwoordigde, maar niet verraadde.

De foto was met lijst en al in de linnenkast beland. Bij de verhuizing naar de flat had Andrea hem op Martha's nachtkastje gezet. Al de volgende dag was hij van zijn prominente plaats verwijderd ten gunste van een grote kleurenfoto van Martha met haar kleinkinderen.

Andrea: 'Waar is die pianofoto, mam?' Ze zei niet: 'Die foto van jou en pa uit 1935.'

Ze had hem naast de pendule in de boekenkast gezet, achter een vetplantje.

Andrea: 'Wat heb je toch tegen die foto?'

'Die soepjurk.'

Ik weet niet wie ik ben.

Andrea was de foto gaan halen en hield hem haar moeder voor. 'Dit ben je, Martha de Heer, zoals je toen was heb ik je nooit gekend.'

Martha: 'Ik mezelf ook niet, je ziet jezelf niet door je eigen ogen. Kijk maar eens in de spiegel, heel even, voor je kijkt, trek je het gezicht dat je wilt zien en dan kijk je.'

Andrea: 'Ik hou van deze foto, je bent daar zo mooi en zo verlegen en zo gelukkig.'

'Gelukkig?' Martha tilde haar hoofd op en bekeek het meisje op de foto, ze glimlachte vertederd naar zichzelf. 'Dom gansje,' zei ze ineens.

Andrea: 'Nee.'

'Jawel, en je weet best waarom.' Martha draaide haar hoofd naar de muur.

'Dom gansje,' herhaalde ze tegen het piepkleine behangoortje, 'ze is daar zwanger en ze weet het nog niet.'

Andrea legde haar hoofd op het kussen en streelde haar moeders wang. 'Denk je nog vaak aan je verloren engeltje?'

'Elke dag, elke dag, misschien vind je het gek, want je weet dat ik geen kwezel ben, maar ik bid voor hem, nog

steeds, elke ochtend, elke avond, het is zoiets als aankle-
den en uitkleden.'

Dit zijn Martha's schoenen en dit is haar schoudertas.
En dit is het verhaal over haar verloren engeltje, het
laatste deel van deze zwijggeschiedenis.
Het begint op de begrafenis van Paul.

19

Het idee om rouwbrieven te sturen naar de Brabantse familietak kwam van Gemma en Thieu. Zij hadden zich allang met de familie verzoend en vonden het hoog tijd dat Martha hun voorbeeld volgde. 'Dit is een goede gelegenheid,' had Gemma haar schoonzus voorgehouden, 'van jou als weduwe wordt niets anders verwacht dan dat je op je af laat komen wat op je af komt.'

De broers hadden borstelige wenkbrauwen en vierkante gezichten; ze waren knap, maar te dik en te klein. De zussen en de schoonzussen leken exemplaren van één soort, ze waren gekleed in zwart en antracietgrijs of het soort blauw dat niet gemakkelijk van zwart te onderscheiden is. Hun gezichten gingen schuil achter voiles van donkere hoeden. Van de nichten en de neven waren behalve Victor van Gemma en Thieu alleen Len en Wieneke meegekomen, de oudste dochters van Tonia en Von uit Goirle. Hayo noemde ze de blauwblauwtantes, vanwege hun precies eendere blauwe mantelpakjes en hun zilvergrijze, met een vleugje blauw gespoelde kapsels.

Andrea had zich hun namen in het hoofd geprent, niet wetend dat ze die al na een paar uur kon vergeten.

De weduwe verstopte zich in haar verdrietcocon. Ze zoende en omarmde niemand, liet zich ook niet zoenen of omarmen. Ze concentreerde zich op haar kleine gevolg van kinderen, aanhang en kleinkind die ze – zelfs Barbara die ze pas drie dagen kende – voortdurend ergens beetpakte en bij zich in de buurt hield.

Dat Barbara in gezegende omstandigheden verkeerde, was haar nog niet verteld. Misschien was dat niet meer nodig, want tijdens de uitvaartmis was Barbara met beide handen voor haar mond de kerk uit gerend met Hayo achter zich aan; iets later weer had ze staan spugen boven een afvalbak naast het portiershuisje van de begraafplaats, ongelukkigerwijs in het zicht van iedereen.

De plechtigheden verliepen goed. Alleen bij de teraardebestelling ontstond even verwarring toen oom Richard, de tantes en Francien, die de rouwmis niet hadden bijgewoond, zich alsnog bij het gezelschap voegden; oom Richard in stemmig zwart en met een slordig opgevouwen krant in zijn jaszak. Ze bleven achteraf staan, waarop Hayo die zich juist terzijde van het graf had opgesteld om zijn vader met een woordje te gedenken hen met brede armgebaren dichterbij haalde. Oom Richard haastte zich naar voren, stond eensklaps stil en tastte in zijn jaszak. Blijkbaar had hij aangenomen dat Hayo hem verzocht enkele afscheidswoorden uit te spreken, wat hij beslist gedaan zou hebben als het briefje met de aandachtspunten niet hopeloos verloren was geraakt in de wirwar van krantenpagina's.

De koffietafel vond plaats in een zaaltje niet ver van de begraafplaats; iedereen ging mee, behalve oom

Richard. 'Hij is nu eenmaal mensenschuw,' zei tante Thecla. 'Mart, dat weet je hè, ik hoop dat je het niet persoonlijk opneemt.'

De weduwe schudde haar hoofd en keek naar Andrea die vlak achter haar stond, ze trok Andrea aan haar mouw en wees met haar blik naar een lange man met een dikke bos rode krullen die met een uitgestoken hand op Hayo afkwam.

'Hé, dag Victor,' zei Hayo vormelijk verrast, hij trok aan de knoop van zijn stropdas, 'hoe is het met The King of Sports?' Tante Gemma had hem net verteld dat Victor cricket speelde.

Victor: 'Beroerd voor jullie.'

Hayo: 'Voor hem niet in ieder geval.'

Victor: 'Tja, het is en blijft beroerd, voor jullie allemaal.'

Victor zette zijn kop koffie op de tafel naast hen en keek naar een schaal met plakjes cake. 'Ik sprak net je verloofde,' zei hij, 'ze vertelde dat jullie volgende maand gaan trouwen. Dat dat gewoon doorgaat.' Hij reikte voor Hayo langs naar de schaal met plakjes cake en pakte er twee tegelijk die hij op elkaar legde. 'Misschien een intieme vraag,' vervolgde hij zonder zijn stemgeluid te dempen, 'waarom stellen jullie dat niet uit?' Hij hief zijn dubbele cake-boterham omhoog en hapte er smakelijk in.

Hayo: 'Is het de bedoeling dat ik je met het antwoord amuseer terwijl jij kauwt?'

Victor draaide zich om en voegde zich bij het dichtstbijzijnde groepje. Andrea kwam naar de tafel, ze pakte de schaal met cake en liep ermee naar Francien. In het telefoongesprek naar aanleiding van de brieven hadden de twee zussen over en weer de wens uitgesproken elkaar zo spoedig mogelijk te ontmoeten, en dit was het dan.

'Gaat het een beetje?' vroeg Francien.

'Alsof er een ballon is leeggelopen.' Ze had andere woorden willen gebruiken, betere, mooiere, lievere woorden van medeleven voor Francien die moederziel alleen de oceaan was overgestoken om haar vader te begraven, maar Heleentje met nicht Wieneke in haar kielzog kwam naar haar toe met een bedrukt gezichtje en klemde zich vast aan haar bovenbeen. Wieneke wilde kwijt dat haar kleine Tom als twee druppels water op Heleentje leek. Tegelijkertijd klonk het Brabantlied:

Brabant, ik zal nooit de tijd vergeten,
dat ik als jungske belleke trok,
schutje speulde, fijn gong repen,
speulde met de foekepot…

Oom Thieu zong in zijn eentje. Bij het refrein barstte het voltallige gezelschap fier en rondborstig los:

Dan zal ik denken aan mijn Brabant,
waar toch ooit mijn wiegske stond,
en aan mijn lieve Brabants moeke
trouwe ziel van huis en haard.

Het klonk warmbloedig en bezield. Zonder enige twijfel was het een ruimhartige poging om bij hun zus, die nog altijd weigerde contact te maken, een gevoelige snaar te raken. Wat inderdaad gebeurde, ze stond op en maakte een wuivend gebaar. 'Wat ga je doen mam,' vroeg Hayo.

'Naar huis.'

Tante Gemma: 'Mart, dat meen je niet.'

'Mart, wij vertrekken ook, wij brengen je,' riep tante Thecla.

Oom Thieu klapte in zijn handen en nodigde de Brabanders met een stentorstem uit voor een lunch bij hem thuis.

Andrea tegen Gijs: 'Waarom kunnen wij nou nooit eens met de gewone mensenwereld meedoen?' Ze snikte haar verdriet uit in het delicate nekje van Heleentje.

'Mama, mama,' schreeuwde Heleentje en trok woedend aan haar moeders haren.

Tante Gemma kwam met haar jas aan afscheid nemen. 'Andrea, ik wil met je praten, alleen niet nu, en Hayo en Francien moeten er ook bij zijn.'

De dag erna hadden ze elkaar ontmoet in het huis van Thieu en Gemma. Na het handen geven was oom Thieu de deur uit gegaan. 'Gemma, begin er niet aan,' had hij uitgeroepen toen hij hoorde wat zijn vrouw van plan was. Dat Thieu zijn bekomst had van het onderwerp begreep Gemma wel, want wie had kunnen denken, op die tweede kerstdag…

Andrea: 'Wacht even, tante Gemma, eerst het begin tussen die twee.'

Tante Gemma: 'Hoe ze elkaar hebben leren kennen, bedoel je? Wij hebben dat vuurtje aangestoken, Thieu en ik. We hadden een advertentie gezien, "Bridgelessen aan huis", dat leek ons wel wat. Mart werkte toen intern, bij een notaris; 's zondags had ze vrij en kwam ze bij ons eten, zij kon mooi de vierde speler zijn. Zo is het dus begonnen tussen Paul en Martha, met sans atout en doublet. We hadden zo'n plezier met zijn vieren, daarom kan ik het nog altijd niet verkroppen dat het misliep op die tweede kerstdag.'

Ze hadden heel gezellig met elkaar gepraat, bijna als vanouds, de eerste uren zonder één woord te besteden aan wat hen die middag samenbracht, Hayo's escapades in de duinen, noch aan wat hen al die jaren uit elkaar gehouden had. Bij de derde fles wijn had Paul met zijn trouwring tegen het glas getikt en een toast uitgebracht op de verzoening en de late vrede. Hij was gaan staan en had iedereen toegedronken met een milde glimlach op zijn gezicht. 'Op de verzoening en de late vrede.' Tot drie keer toe had hij dat herhaald, na elke slok het glas heffend, steeds diezelfde woorden, de verzoening en de late vrede, de verzoening en de late vrede, charmant, bezwerend, gebiedend, met dat air van man van de wereld waar Thieu zo furieus van werd.

Het had niet mis hoeven lopen, ware het niet dat Paul die middag een overdreven gêne had tentoongespreid voor de 'wat armelijke ambiance' waarin hij zijn gasten 'moest' ontvangen, etalerend dat hijzelf – pauper tegen wil en dank, maar meer nog prins in ballingschap – geen verantwoording kon dragen voor de borrelgarnituur (vierkantjes geroosterd witbrood belegd met smeerkaas) en de onhandige Liberty-stoelen waarvan de onderkussens steeds naar voren schoven.

Na de toast was het even stil geweest, ieder dronk met meditatieve aandacht van de wijn.

'Jammer,' zei Paul zijn glas bekijkend, 'maar goed, een kniesoor die erop let.' Desondanks had hij het niet kunnen laten zijn vrouw erop attent te maken dat ze het waas van kalkaanslag in het buikige gedeelte van de glazen met azijn had moeten oplossen. Waarop Martha, een tikje boven haar theewater al, hem geprikkeld toebeet dat er krasjes in die glazen zaten. Die aanslag zat er als het ware in geëtst, maar wat gaf het, het ging tenslotte om de inhoud.

Paul: 'Erin geëtst? Wat weet jíj van etsen?'

Thieu: 'Alsof ze goddomme van de straat komt! Alsof zij niet weten kan wat etsen is!'

Paul: 'Sorry Thieu, op gewoon glas krijg je krasjes, maar dit is kristalglas. Hoor!' Hij pakte zijn glas bij de steel en strekte als een goochelaar die aan het riskante gedeelte van zijn truc gaat beginnen, zijn arm uit de boord van zijn overhemd. Hij nam de rand van het glas tussen de nagels van duim en wijsvinger en liet het zingen met een korte trekkende beweging. 'Hoor je?' In triomf droeg hij de klank rond, hield die bij het oor van zijn zwager, bij het oor van zijn schoonzus, bij zijn eigen oor ten slotte, want zo sterk was de naklank van het kristal dat hij en Martha bij hun trouwen van Maatje hadden gekregen.

Thieu: 'Mart heeft alles voor je op het spel gezet. Alles! En wat is jouw dank? Ik zal het je zeggen, je behandelt haar als je dienstmeid, je personeel.'

Paul (ruikend aan zijn glas, ogenschijnlijk kalm): 'Dienstmeid, zeg je, dienstmeid? Dat was ze thuis, dienstmeid en kindermeisje, niet voor niets nam ze de benen, dat weet jij even goed als ik.'

Mart: 'Jongens, laten we het gezellig houden.'

Gemma: 'Mart, ik rammel, hoe staat het met ons kerstkonijn?'

Ze doken de keuken in, de twee vrouwen, en de mannen, beroofd van hun afleidingsmanoeuvres, waren in een mum van tijd op het verkeerde spoor terechtgekomen.

Paul: 'Mart is mijn vrouw, ík respecteer haar.'

Thieu: 'Jij Martha respecteren? En Paul junior dan?'

Toen Mart en Gemma de kamer binnen kwamen om te melden dat ze de tafel gingen dekken, was de ruzie al in volle gang.

'Hè, Paul junior? Hoezo Paul junior?' Hayo was de enige die meteen reageerde. Hij verdween naar de gang en kwam een paar tellen later de kamer in met zijn jas los aan. 'Waarom heeft die idioot haar laten zitten?' In zijn verwarring knoopte hij zijn jas scheef dicht, hij merkte het, knoopte hem los en ging weer zitten.

Tante Gemma: 'Zij wees hém af, Hayo, althans, zo en niet anders wil jouw moeder het graag zien. Dat hij haar geen keus gelaten had, geeft ze wel toe, maar dat had hij toen niet door. En wat zij niet doorhad was dat hij niets wist van het katholiek geloof. En dat hij werkelijk van haar hield bleek wel uit het feit dat hij zich samen met zijn zoon had laten dopen. In de wolken was hij! Een zoon, een stamhouder, een zoon! Hij ging meteen verlovingsringen kopen!'

Francien: 'Dopen? Verloven? Wanneer deden ze dat dan?'

Tante Gemma: 'Bij het kraambed, we zijn erbij geweest, Thieu en ik, de ringen werden gezegend en Paul liet zich dopen samen met zijn zoon.'

20

Paulus Maria de Heer, zoon van Martha de Heer, dienstbode en Paul Spanjert, ambteloos burger, geboren in een kliniek voor ongehuwde moeders in Den Haag. De ambtenaar van het geboorteregister heeft hem twee- maal ingeschreven; eerst als De Heer, aangegeven door een non van de kliniek, een dag later als erkend door zijn vader. Als Spanjert heeft hij nog negen dagen ge- leefd.

Paulus Maria.

De twee doopnamen heeft zijn moeder voor hem uit- gekozen, dat hoort als het ware tot zijn biografie, net als zijn geboorteplaats en die dubbele aangifte. Paulus heet hij naar zijn vader en natuurlijk ook naar de apostel en bekeerling; Maria, naar de moeder Gods, steun en toe- verlaat van alle zondaars. Veel meer dan dit en dat hij stuipjes kreeg en daaraan overleed valt er niet over deze Paulus te vertellen, wat niet wegneemt dat zijn leven rijk aan gevolgen is geweest.

Want hij werd doodgezwegen.

Niet zoals men liever maar niet spreekt over een pijnlijk en beschamend onderwerp, maar zorgvuldig en planmatig, als bij een moord waarvan de sporen zeer nauwkeurig moeten worden uitgewist. En niet alleen de sporen die rechtstreeks in verband staan met de tijd, de plaats, de naam, ook de sporen van de sporen van de sporen. De contacten met degenen die het weten – niet meer dan een handjevol betrokkenen – en de contacten met degenen die het misschien niet weten, maar misschien ook wel, of die het later te weten kunnen komen, familieleden, hun kinderen, klasgenoten, vrienden, zakenrelaties van de ouders, de kennissen daarvan. Het is beter alle banden met getuigen en met mogelijke getuigen door te snijden, want zij allen kunnen komen met verwijzingen en woordjes, bepaalde grapjes, veelbetekende blikken. Kom vooral niet met verhalen over vroeger. Zwijg. Ook over het verleden dat er ogenschijnlijk niets mee te maken heeft. Zwijg. En laat je niet verleiden tot de leugen. Let daar op! De leugen zegt te veel, heeft begin en eind, eenmaal verzonnen maakt de leugen – als verdraaiing of ontkenning – contact met een beperkt gebied van de waarheid. Kies dus voor het zwijgen want het is hermetisch en het neemt geen enkel risico.

Er is sprake van een kraambezoek. Twee in het zwart geklede figuren, zijn grootouders van moederskant, verschijnen aan het kraambed van hun dochter. Ze weten dan nog niet – het is die ochtend gebeurd – dat hij ('het') is gestorven, ze horen het met droge ogen aan.

Moeder tegen dochter: 'Rouw past je niet, bewaar je tranen voor de biechtstoel, kind en keer terug tot God.'

Vader tegen dochter: 'Wees blij dat het gestorven is, want het was een kind van de duivel.'

Paulus Maria, de vervloekte.

Over de tijd dat hij op stapel stond, weet tante Gemma dat Martha op een middag volkomen overstuur van een gesprek met Paul bij haar aan de deur was gekomen. 'Het is afgelopen uit!' Dat bleef ze maar herhalen. 'Het is afgelopen uit! Het is afgelopen uit!' Pas na een dik uur had Gemma haar zover dat ze vertelde wat er aan de hand was.

Paul had zich zonder ringen met Martha willen verloven. Een verloving zonder ringen, wat was dat voor iets? Van een verloving zonder ringen had Martha eenvoudigweg nog nooit gehoord, voor haar bestond het niet. Het woord, de belofte, de voornemens, behoefden materialisatie. En haar eer was in het geding, haar eer als welopgevoed meisje van katholieken huize. Al was die ring van aluminium geweest, Martha zou hem hebben aangenomen.

Geen verlovingsring, wel een niet-ring. De uitwisseling van ringen zou hun zaak niet dienen, vond Paul, hun beider zaak, of beter uitgedrukt: die van Paul, die van Martha noch die van het ongeboren kind. (Fransje nog even daargelaten, Fransje was een hoofdstuk apart.) Ze moest begrijpen, een huwelijk voor de geboorte zat er helaas niet in.

Geen huwelijk voor de geboorte? Dan toch minstens een huwelijk voor de wet. Minstens voor de wet? Hoezo? Wat was er dan nog meer? Een huwelijk voor de kruidenier, de bakker en de slager?

In zekere zin had Martha wel behoefte aan een huwelijk voor de kruidenier, de bakker en de slager en dat een kerkelijke inzegening niet mogelijk was, niet op korte termijn, misschien veel later pas, had ze zich heus wel gerealiseerd. Maar ze moesten zo snel mogelijk man en vrouw worden, dat stond als een paal boven water, ook in het belang van Fransje trouwens. Verdiende Fransje niets beters dan op te groeien als een weeskind en dan ook nog tussen tbc-lijders? Fransje had verzorging nodig, dat ten eerste, en een vader en een moeder en een broertje of een zusje. Of zag ze dat verkeerd?

Paul: 'Het gaat niet om Fransje, het grootste probleem is het katholiek geloof, ik ben atheïst, dat weet je toch? Dat heb ik je toch uitgelegd?'

Martha: 'Je bent geen atheïst, jij bent agnosticus.'

Paul: 'Dat is geen geloof, dat is een niet-geloof.'

Maar dat niet-geloof, zo had hij dat aan haar uitgelegd, stond net als het geloof op losse schroeven. Het menselijk verstand is te beperkt om zoiets als God te kunnen bevatten, had hij haar voorgehouden. Geen geloof, geen niet-geloof. Paul kon God in God uit. Daar kon ze mee leven. Dat 'agnosticus' was het ei van Columbus geweest. Ze had er een soort compromis in gezien – onderhandelingsruimte.

Martha: 'Laten we niet kissebissen over God, we moeten een oplossing vinden.'

En toen was Paul over kruidenmengsels begonnen. Hij kende iemand in de stad, een zeer kundige, van oorsprong Chinese vrouw, die met bepaalde kruidenmengsels de vrucht tot afdrijven kon bewegen.

'De vrucht tot afdrijven bewegen,' had hij gezegd, alsof die vrucht in het belang van de twee ouders de verstandigste moest zijn.

Martha: 'Een engeltjesmaakster? Bedoel je dat?'

Paul: 'Engeltjesmaakster?'

Martha: 'Bedoel je dat? Ken je het vijfde gebod? Gij zult niet doden.'

Paul: 'Goed, goed, dan moeten we die weg niet kiezen.'

Geen Chinese vrouw die de vrucht tot afdrijven wilde bewegen. Wat dan wel? Waarom dan toch geen huwelijk voor de wet?

Paul: 'Zouden jouw ouders daarmee instemmen?'

Mart: 'Ze kunnen de pot op.'

Paul: 'Waar moeten we dan van leven? Ik heb geen baan, ik trek steun.'

Mart: 'Je verdient heel aardig met je bridgelessen, daar komt nog bij, ík heb ook nog een betrekking.'

Maar hij vreesde dat ze die verliezen zou, niemand, althans niemand van enige standing, nam een dienstbode met buik in huis.

Paul: 'Wat je kunt doen is steun trekken, dan hebben we tweemaal steun; alleen, in dat geval kunnen wij niet trouwen, als wij trouwen krijg jij geen steun, dat weet ik zeker.'

Mart: 'En Fransje dan, hoelang moet Fransje nog daar in Davos bij die verpleegster blijven?'

Paul: 'Wil je dat ik in mijn eentje stempel voor ons vieren, inclusief voor Fransje die momenteel bij Nina veel beter af is? Wil je paupers maken van ons alle vier?'

Wel steun en later trouwen, dat was de boodschap. Spoedig zouden betere tijden aanbreken en dan kon er getrouwd worden, zo zat het of waren er nog meer wegen?

Paul: 'Wat je ook kunt doen is vrede sluiten met je

ouders, misschien dat zij op een of andere manier kunnen inspringen. Ondanks het failliet is je vader nog lang niet armlastig, heb ik van Thieu begrepen. Als zij ons willen helpen, financieel bedoel ik, trouw ik met je, meteen, zo snel mogelijk, voor de wet en voor de katholieke kerk.'

Tante Gemma spreidde de vingers van haar rechterhand uit op haar knie en tikte met de linker op haar trouwring. 'En daarna was het afgelopen uit voor Martha. Pas toen ze in het kraambed lag kwam het weer goed, ook tussen haar en ons.'

Andrea: 'Hoezo?'

Tante Gemma: 'Thieu en ik kregen slaande ruzie met je moeder. Wat ze van ons vroeg, inwoning bij ons tot en met de bevalling, konden wij ons niet permitteren.'

Andrea kreeg last van oorsuizingen. 'Niet permitteren? Ze duwde met haar wijsvingers op de botjes van haar oren. 'Door een dikke buik?' In de afgesloten kamer van haar hoofd klonken die woorden vredig en gedempt.

'Ja!' zei tante Gemma. 'Vergeet niet, het was crisistijd en wij hadden een zaak in opbouw, het zou onze naam geschaad hebben. Mart begreep dat niet, ze was razend. Goed, dan deed ze het alleen, helemaal alleen!'

Francien: 'Helemaal alleen? En de rest van de familie dan?'

'Welke familie? Niks rest van een familie! Voor geen goud! Ik geloof dat ze het idee had dat die haar eigenhandig zouden stenigen. Godzijdank liet die notaris haar niet in de steek, degene dus bij wie ze als dienstbode werkzaam was. Hij legde allerlei contacten voor haar, met de kliniek, met een priester, met ons, met Paul, met haar ouders. Nou ja, dat laatste had hij beter niet kunnen doen.'

Tante Gemma strekte haar rug en leunde enigszins naar links, ze haalde een pakje sigaretten uit het jasje van haar deux-pièces. Hayo had zijn aansteker al in de hand. 'Na dat kraambezoek heeft Mart haar ouders nooit meer willen zien en, behalve ons dan, haar broers en zussen evenmin.'

Andrea: 'Waarom die broers en zussen niet?'

'Omdat ze het wisten. En dat is nog steeds de reden.'

21

De telefoon rinkelde in de keuken en hield op. Terwijl Andrea in haar sloffen schoot, besefte ze dat ze hem al een paar keer had gehoord. Het verbaasde haar enorm dat ze was waar ze was: in de keuken met die ronde, knalgele Genemuider mat. Ze wilde niet in slaap zijn als degene die gebeld had het opnieuw probeerde en bleef wachten.

Ze had gedroomd. In die droom liep ze te zoeken naar haar bril, maar haar bril stond op haar neus, dat wist ze in die droom en toch was het normaal dat ze maar door bleef zoeken, door bleef zoeken.

De telefoon ging opnieuw. Het was Hayo. Hij zei: 'Ik heb zo het gevoel dat moeder dood is.'

'Martha, je moet voortaan Martha zeggen, dat heb ik je de vorige keer al verteld.'

'Andrea, ga even bij Martha kijken, wil je?'

Ze ging naar het toilet en trok de wc door.

'En?'

'Martha slaapt, ze was heel goed vandaag, ze heeft behalve die Nutricia-kartonnetjes zes rijstkoeken en een banaan gegeten.'

'Andrea, je hebt niet gekeken, ga even kijken alsjeblieft, dan ben ik gerust.'

Ze wilde hem over die bril vertellen, terwijl ze daarmee bezig was bloeide haar droom helemaal op, alsof hij door de woorden wakker werd gekust. Wat zo eigenaardig was, ze vond die bril. Om een of andere reden had ze er de hele tijd overheen gekeken.

Hayo had een sigaret opgestoken en blies krachtig in de hoorn. 'Andrea, alsjeblieft, ga even kijken, dan kunnen we allebei weer rustig gaan slapen.'

'Ik héb gekeken, om het hoekje, heus, ze ligt rustig te slapen. Luister Hayo, ik ben fulltime bij haar, ik weet hoe ze slaapt, ik weet hoe ze ademt, ik weet zo'n beetje hoe ze zich voelt. Ik wil niet zeggen alive and kicking, maar ik hoef ook niet om de vijf minuten met mijn neus boven op haar te gaan staan om te weten dat ze leeft. Ze leeft, Hayo. Je moeder leeft. Ze vroeg vanmiddag naar je. "Wat zou er toch met Hayo aan de hand zijn, dat hij maar niet komt".'

'En?'

'Ik heb gezegd: "Dat weet ik niet".'

'Wat zei ze toen?'

' "Als hij maar gelukkig is".' Ze kneep in haar voet. 'Hayo, mijn voet slaapt, ik hang op. Welterusten.'

De telefoon rinkelde opnieuw. Ze nam op zonder haar naam te zeggen. 'Waarom vraag je niet hoe het met mij gaat? Waarom kom je me niet aflossen?' Haar voet kwam tot leven en begon hevig te prikken. Ze legde de hoorn op de mat.

'... niet afbreken,' hoorde ze.

Ze ging staan en schudde met haar voet.

Uit de hoorn kwam een tikkend geluid, ze pakte hem op. 'Wat?'

'Niks,' zei Hayo. 'Ik tik. Andrea, als het even meezit kan ik volgende week donderdag naar jullie toe komen, maar doe me een plezier en ga bij Martha kijken.'

'De vorige keer legde je neer toen je de uitslag kreeg, net als de keer daarvoor. Wat wil je, dat ik iets verander aan de dood? Waarom bel je op? Om elke keer opnieuw te horen dat ze nog niet dood is? Kom zelf kijken. Praat met haar. Kom morgen.'

'Ik heb een baan bij een bloemist hier op de markt, ik stel boeketten samen, morgen is het zaterdag, de drukste dag, ik moet om zes uur op, maar ik beloof je plechtig dat ik volgende week kom.'

Ze ging bij Martha kijken. Martha sliep.

Ze nam de hoorn weer op en zei: 'Hayo, Martha is er niet meer, ze is voor altijd ingeslapen.'

Dat zei ze, dat hun moeder dood was, en Hayo barstte in tranen uit. Hij zei: 'Ik kom, hou je goed, ik neem de eerste trein, hou je goed Andrea, ik kom eraan.'

En ze bleef zitten op die ronde gele mat en keek naar de keukenklok. Zes uur. Ze dacht aan haar droom. Wat zo eigenaardig was, die bril stond op haar neus en toch had ze hem gevonden. Hij lag op de gewone plaats, ze had ernaar gekeken en hem niet als bril herkend.

Halfzeven. Ze bleef zitten en overdacht haar leven.

Om zeven uur, de gewone tijd, ging ze bij Martha kijken. Ze was ingeslapen voor altijd. Andrea bad drie weesgegroetjes en twee onzevaders voor haar moeders zielenrust. 'Verlos ons van het kwade amen,' bad ze.

AANTEKENING

In 1941 was Den Haag, als bestuurlijk en militair centrum van de bezetter, tot vestinggebied uitgeroepen; de *Stützpunktgruppe Scheveningen* was een onderdeel van de Atlantikwall. Binnen de vesting werden duizenden woningen, maar ook scholen, kerken en twee ziekenhuizen met de grond gelijk gemaakt. Tussen november 1942 en september 1944 moesten rond de 135.000 Hagenaars (een kwart van de bevolking) evacueren. Gegevens ontleend aan: *Van verdediging naar bescherming; de Atlantikwall in Den Haag* van H.F. Ambachtsheer, uitgave Gemeente Den Haag, 1995.